치매를 알면 예방할 수 있다.

치매관리와 예방

신희영 지음

예감출판사

머리말

요즘 평균수명의 증가로 인하여 자연스럽게 치매인구도 증가하여 사회적으로 큰 문제가 되고 있다. 현재 치매인구는 65세 이상 노인의 10%를 넘어섰고, 앞으로는 15% 이상으로 증가할 것으로 예상하고 있다.

치매는 나이가 들수록 높은 유병률을 보이고 있으며, 한번 걸리게 되면 치료가 불가능하고 결국은 죽음에 이르게 하는 무서운 질병이다. 다른 병들은 병에 걸리면 본인이 가장 힘들지만, 치매에 걸리면 치매노인뿐만 아니라 치매환자를 부양하고 있는 가족에게 정신적, 육체적, 경제적으로 황폐화시키는 무서운 질병이다.

실제로 치매환자를 둔 가족의 고통은 우리가 상상하는 것을 초월하여 어려움을 만나게 된다. 이러한 어려움 때문에 주로 가정에서 담당했던 치매노인 부양이 점차 공공부문으로 이전되고 있으며, 국가적으로 중요한 정책 과제로 부상하고 있다.

치매는 지금까지는 한번 걸리게 되면 뚜렷한 치료법이 없기 때문에 후회한들 소용이 없다. 따라서 치매를 멀리하는 가장 좋은 방법은 예방이 가장 먼저라고 할 수 있다. 치매를 예방하기 위해서는 치매에 대해서 정확히 알아야 한다. 정확한 치매에 대한 원인과 증상에 대해서 알아야만 예방과 대처가 가능하기 때문이다.

치매는 대뇌 신경세포의 손상 등으로 단기·장기 기억력, 사고력, 지남력, 이해력, 언어력, 계산능력, 학습능력, 인지기능과 고등정신기능 등이 지속적·본질적으로 상실되는 병을 말한다. 치매는 한 가지가 아니라 여러 가지 원인으로 발병된 최종적인 결과나 상태를 말한다. 치매의 원인이 되는 질환으로는 내과, 신경과 및 정신과 질환 등 100여 종류가 있는 것으로 알려져 있다.

이 책은 치매의 원인과 증상을 알아보고, 치매를 예방하기 위한 방법과 치매에 걸렸을 때 어떻게 간병하고 관리해야 하는지에 대한 구체적이고 실천적인 방법들을 제시하고 있다. 이 책을 통하여 치매에 대한 기본지식의 습득은 물론 치매에 대한 이해를 높여 치매 없는 세상이 되길 바란다.

지은이 신희영

목 차

제1장 치매의 개념과 실태

1. 치매의 개념

치매를 예방하기 위해서는 먼저 치매에 대한 정확한 정의를 알아야 한다. 치매의 정의를 정확히 알지 못하고 치매와 관련된 일을 하는 것은 잘못된 결과를 가져오기 때문이다.

과거에는 치매를 망령, 노망이라고 부르면서 노인이면 당연히 겪게 되는 노화현상이라고 생각했으나 최근에는 치매를 하나의 질병으로 여기고 있다. 치매환자들은 우울증이나 불안 등과 같은 이상행동을 나타내기도 하며 모두 똑같고 별다른 치료법이 없다고 인식하기도 하였다.

치매(dementia)라는 말은 원래 라틴어의 demens에서 유래된 말이다. demens의 의미를 보면 디(제거; de)+멘스(정신; mens)고 결국은 '정신이 제거 된 것'이라는 의미를 가지고 있다. 따라서 영어의 dementia는 디(제거; de)+멘스(정신; mens)+티아(병; tia)라는 뜻이 결합된 용어로서, 문자 그대로 '정신이 제거된 질병'으로 제정신이 아님을 의미한다.

한문으로 사용하는 치매(癡呆)의 의미를 보면 치(癡)는 '어리석다' 또는 '미쳤다', 매(呆)는 '미련하다'는 뜻으로 결국 치매는 '어리석고 미련하다'는 의미를 가지고 있다.

국어사전에서는 치매를 '대뇌 신경 세포의 손상 따위로 말미암아 지능, 의지, 기억 따위가 지속적·본질적으로 상실되는 병'이라고 하였다.

건강 백과에서는 치매를 '치매는 일단 정상적으로 성숙한 뇌가 후천적인 외상이나 질병 등 외인에 의하여 손상 또는 파괴되어 전반적으로 지능, 학습, 언어 등의 인지기능과 고등 정신기능이 떨어지는 복합적인 증상'이라고 하였다.

세계보건기구(WHO)에서 펴낸 국제질병 분류를 보면 치매는 '뇌의 만성 또는 진행성 질환에서 생기는 증후군이며 이로 인한 기억력, 사고력, 이해력, 계산능력, 학습능력, 언어 및 판단력 등을 포함하는 고도의 대뇌피질 기능의 다발성 장애'라고 정의하고 있다.

지금까지 나온 치매의 정의를 종합해 보면 치매는 정상적으로 생활해오던 사람이 다양한 원인으로 인해 뇌기능이 손상되면서 이전에 비해 인지기능이 지속적이고 전반적으로 저하되어 일상생활에 상당한 지장이 나타나고 있는 상태라는 것을 의미하고 있다.

또한 치매는 단순히 기억력만 저하된 경우를 치매라고 하지 않으며, 인지영역의 전반적인 저하를 치매라고 한다. 그리고 치매는 한 가지 원인에 의해서 생기기보다는 다양한 원인에 의해서 생기는 뇌 질환으로 보고 있다.

따라서 치매에 대한 정의를 내려 보면 치매란 대뇌가 손상을 입어 인지기능의 저하와 언어능력의 저하, 신체적 기능이 지속적이고 전반적으로 손상되는 질환이라고 할 수 있다.

치매는 일반적으로 뇌가 기질적으로 손상되거나 파괴되어 전반적으로 단기·장기 기억력, 사고력, 지남력, 이해력, 언어력, 계산능력 등과 같은 인지기능과 고등정신기능이 쇠퇴하게 되고, 시간이 지날수록 언어능력이 저하되고, 신체적 기능이 손실되어 행동하는 것이 어려운 질환에 이르기까지 범위가 넓다.

2. 치매의 실태

　의학계의 연구결과에 의하면 치매는 전 세계적으로 65세 이상 노인 중에서 약 5~10% 정도의 유병율을 보이며, 연령의 증가와 더불어 매 5년마다 약 2배씩 유병율의 증가를 나타내고 있다고 한다.

　2017년 보건복지부 중앙치매센터에 따르면 만 65세 이상 인구 711만8천여 명 가운데 72만4천여 명이 치매 진단을 받아, 만 65세 이상 노인 중에서 10%가 발병하는 것으로 나타났다.

　치매가 중요한 질병으로 등장하자 1995년 국제알츠하이머협회(ADI)와 세계보건기구(WHO)는 영국 에든버러에서 열린 총회에서 매년 9월 21일을 '세계 치매의 날'로 정해서 치매의 위험성을 인식하도록 하였다.

　치매의 종류별 분석을 해보면 알츠하이머형 치매는 가장 흔히 발생되는 치매로 전체의 약 50%를 차지하고 있고, 혈관성 치매는 약 20%, 그리고 알츠하이머형 치매와 혈관성 치매가 동시에 발생하는 경우는 약 15%인 것으로 알려져 있다. 결국 치매의 원인 중 가장 많은 것은 알츠하이머병과 혈관성 치매라고 할 수 있다.

<표 1-1> 치매의 종류별 분석

구분	알츠하이머형 치매	혈관성 치매	알츠하이머형 치매와 혈관성 치매
비율	50%	20%	15%

보건복지부의 2018년 통계자료에 의하면 치매환자는 10.15%(74.9만 명), 2050년에는 15.06%(217만 명)로 증가할 것으로 예측되고 있다. 통계자료를 분석해보면 치매 환자 수의 증가는 매 20년 마다 약 2배씩 증가하는 것으로 나타났다.

<표 1-2> 치매환자 추이

구 분	2018년	2025년	2040년	2050년
치매환자	74.9만명	108만명	217만명	302.7만명
치매환자 비율	10.15%	10.32%	12.7%	16.09%

* 출처 : 보건복지부 2018년 통계자료

조사결과를 분석해 보면 일반적으로 치매는 나이가 들수록 발병율이 높아지며, 남성보다는 여성이 치매에 노출될 확률이 높은 것으로 나타났다. 또한 고학력자보다는 저학력자가 치매에 걸릴 확률이 높은 것으로 나타났다.

고령화에 따른 노인질병에 대해서도 관심이 증대되었으며, 노인 질병 중에도 만성질환인 치매에 대한 사회적 관심이 높아졌다.

2018년 우리나라 65세 이상 노인 중 치매환자는 10.15%인데 이는 미국이나 독일 등의 선진국 16%에 비해 1/3 수준에 미치고 있다. 이는 '우리나라 노인에게 치매가 적다'라기 보다는 아직 치매를 의학적으로 접근하려는 경향이 낮은 데서 기인한 결과이다.

현재 치매 환자의 실태를 보면 얼마나 많은 노인들에게 치매가 큰 문제인지, 또 수십 년 안에 치매가 얼마나 중요한 건강 문제가 될지 가늠해 볼 수 있다. 이러한 치매 환자의 급증은 결국 향후 심각한 사회문제가 될 것으로 예상되고 있다.

3. 치매의 특징

치매는 나이가 들면 뇌가 퇴행되면서 생기며, 아무도 모르게 시작되어 서서히 심해지는 것이 일반적인 형태다. 치매는 노인에게 흔히 나타나는 건망증이나 노망 같은 노인성 질환과는 다르다. 노인이 되면서 자연스럽게 두뇌기능이 떨어짐으로써 나타나는 노인성 질환을 치매로 오해하기 쉬운데, 치매는 후천적으로 뇌가 손상되면서 이루어지기 때문에 차이가 있다.

치매로 판정하기 위해서는 몇 가지 특징을 가지고 있어야 한다.
❶ 치매는 선천적인 것이 아니라 후천적으로 나타나는 현상이어야 한다.
❷ 뇌의 부분적 손실로 나타나는 증상이 아니라 전반적인 손상으로 나타나는 정신증상으로 나타난다.
❸ 기억·지능·인격기능의 장애가 전반적으로 있어야 한다.
❹ 의식의 장애가 없어야 한다.

치매는 정상적인 뇌가 후천적인 질병이나 외상 등에 의한 손상으로 인지기능과 고등지식학습의 기능이 떨어지는 복합적인 증상이다.

4. 치매의 위험인자

위험인자는 어떤 질환의 발생 확률을 직접적·간접적으로 상승시키는 신체적 또는 생활 습관적 요인을 말한다. 치매의 원인을 종합해 보면 치매를 발병하게 하는 몇 가지 중요한 위험인자가 있다.

잘 알려진 위험인자는 다음과 같다.

1) 노화

노화는 치매를 발병하게 하는 가장 중요한 위험인자로, 나이가 들수록 치매의 발병 위험은 높아진다. 대부분의 치매발병은 65세 이상의 노인부터 연령이 높아질수록 발병률이 높아진다. 역학조사에 의하면 65세 이후 5년마다 발병률이 2배 이상 증가하므로, 65세 이후의 노화는 알츠하이머병 발생의 가장 큰 위험인자라고 할 수 있다.

2) 가족력

가족력이란 가족이라는 혈연관계에서 나타나는 유전적 또는 체질적 질환을 말한다. 부모가 모두 알츠하이머병에 걸린 경우 그 자손이 80세까지 알츠하이머병에 걸릴 위험도가 54%로, 부모 중 한쪽이 환자일 때보다 1.5배, 부모가 정상일 때보다 5배 더 위험도가 증가하는 것으로 나타났다. 따라서 부모가 치매에 걸린 경우 가족력으로 자녀에게도 영향을 준다는 것을 알 수 있다.

3) 여성

치매는 일반적으로 남성보다는 여성에게 많이 나타나며, 특히 알츠하이머병의 경우는 13% 정도 발병 위험이 높은 것으로 나타났다.

4) 환경 요인

치매는 알코올과 흡연 같은 각종 독성 유해물질을 섭취하게 되면 치매에 걸릴 확률이 높아지게 된다. 그리고 혈관성 치매도 소금이나 지방 등에 의하여 나쁜 영향을 받기 때문에 환경 요인이 중요한 위험인자라고 할 수 있다.

5) 두부외상

치매는 뇌에 손상이 생기는 외부 원인에 의해서도 발병한다. 따라서 의식을 잃을 정도로 심하게 머리를 다치거나 경미하지만 여러 차례 머리를 반복해서 다친 경우 치매 발병률이 높아진다.

6) 교육수준

치매환자의 교육 연한을 살펴보면 고학력자보다는 저학력자가 많이 걸리는 것으로 나타났다. 결국 뇌를 많이 쓰는 고학력자일수록 정신계 손상을 감소시켜 치매예방에 도움이 된다는 것이다.

7) 성인병

치매는 다양한 요인으로 발병하는데 그중에서도 고혈압, 당뇨병, 비만, 이상지질 혈증, 심장병 같은 합병증으로 치매가 발생할 수 있다.

8) 우울증

노인성 우울증이 심해지면 뇌에서 도파민이라는 집중력을 관장하는 호르몬 분비가 적게 분출되고, 이로 인해 점차 기억력 장애가 생기게 된다. 따라서 노인의 우울증은 치매 발병률을 높일 수 있다.

5. 치매의 진행단계

치매의 원인 중 가장 많은 알츠하이머병의 증상에 대해서 뉴욕의대의 실버스타인 노화와 치매연구센터(Silberstein Aging and Dementia Research Center)의 배리 라이스버그(Barry Reisberg) 박사는 알츠하이머병의 진행단계에 따라 증상을 아래와 같이 7단계로 구분하였다.

<표 1-3> 치매의 진행단계

구 분	내 용
1단계	정상
2단계	매우 경미한 인지 장애
3단계	경미한 인지장애
4단계	중등도의 인지장애
5단계	초기 중증의 인지장애
6단계	중증의 인지장애
7단계	후기 중증 인지장애

1) 1단계 : 정상

대상자와의 임상 면담에서도 기억장애나 특별한 증상이 발견되지 않은 정상적인 상태를 말한다.

2) 2단계 : 매우 경미한 인지 장애

2단계에서는 정상적인 노화과정으로 알츠하이머병의 최초 증상이 나타나는 시기이다. 정상일 때보다 기억력이 떨어지며 건망증의 증상이 나타나지만 임상 면담에서는 치매의 뚜렷한 증상이 발견되지 않기 때문에 매우 경미한 인지 장애 상태라고 한다.

2단계는 특별한 단정을 짓기는 어렵지만 경미하게 인지 장애가 나타나는 단계로 임상평가에서 발견되지 않기 때문에 주변 사람들도 대상자의 이상을 느끼지 못한다.

3) 3단계 : 경미한 인지장애

대상자 중 일부는 임상 면담에서 초기 단계의 알츠하이머병으로 진단이 가능한 단계다. 3단계에서는 정상단계에 비하여 경미한 인지장애가 뚜렷하게 나타나기 때문에, 주변 사람들도 대상자의 치매가 시작되었다는 것을 눈치 채기 시작하는 단계다.

3단계에 이르게 되면 기억력의 감소가 시작되어 전에 했던 일이 기억이 잘 나지 않으며, 단어가 금방 떠오르지 않아 말이 자연스럽지 않고, 물건을 엉뚱한 곳에 두거나 잃어버리기도 한다.

4) 4단계 : 중등도의 인지장애

4단계는 임상 면담에서 중등도의 인지장애가 발견되는 단계로 경도 또는 초기의 알츠하이머병이 진행되는 단계다. 4단계에서는 자세한 임상 면담을 통해서 여러 인지 영역에서 분명한 인지저하 증상을 확인할 수 있다.

4단계에 이르게 되면 자신의 생활에서 일어난 최근 사건을 잘 기억하지 못하여, 기억을 잃어버리는 일이 자주 발생한다. 그리고 수의 계산이나 돈 계산능력의 저하가 나타난다.

5) 5단계 : 초기 중증의 인지장애

5단계는 임상 면담에서 초기 중증의 인지장애가 발견되는 단계로 중기의 알츠하이머병이 진행되는 단계다. 5단계에서는 기억력과 사고력 저하가 분명하고 일상생활에서 다른 사람의 도움이 필요해지기 시작한다.

5단계에 이르게 되면 자신의 집 주소나 전화번호를 기억하기 어려워하며 길을 잃거나 날짜, 요일을 헷갈려한다. 하지만 자신이나 가족의 중요한 정보는 기억하고 있으며 화장실 사용에 도움을 필요로 하지는 않는다.

6) 6단계 : 중증의 인지장애

6단계는 임상 면담에서 중증의 인지 장애가 발견되는 단계로 중 중기의 알츠하이머병이다. 6단계에서는 기억력은 더 나빠지고, 성격 변화가 일어나며 일상생활에서 많은 도움이 필요하게 된다.

6단계에 이르게 되면 최근 자신에게 일어났던 일을 인지하지 못하고 주요한 자신의 과거사를 기억하는데 어려움을 겪는다. 그리고 익숙한 얼굴과 익숙하지 않은 얼굴을 구별할 수는 있으나, 배우자나 간병인의 이름을 기억하는데 어려움이 있다. 또한 대소변 조절을 제대로 하지 못하기 시작하여 다른 사람의 도움이 필요하기 시작한다. 그리고 옷을 혼자 갈아입지 못하여 다른 사람의 도움이 없이는 적절히 옷을 입지 못한다. 할 일 없이 배회하거나, 집을 나가면 길을 잃어버리는 경향이 있기 때문에 주의를 기울여야 한다. 성격이 변화되거나 행동에 많은 변화가 생긴다.

7) 7단계 : 후기 중증의 인지장애

마지막 7단계는 후기 중증 인지 장애 또는 말기 치매단계를 말한다. 7단계에서는 이상 반사와 같은 비정상적인 신경학적 증상이나 징후가 보여 정신이나 신체가 자신의 통제를 벗어나게 된다.

7단계에 이르게 되면 식사나 화장실 사용 등 개인 일상생활에서 다른 사람의 상당한 도움을 필요로 하게 되며, 누워서 생활하는 시간이 많아지게 된다.

6. 치매와 유사한 증상

　노인은 나이가 들수록 뇌세포의 감소와 사회적인 고립과 스트레스로 인해 치매와 비슷한 증상이 나타난다. 치매는 빨리 발견되어야 도움이 됨으로 다른 유사 질환과의 차이를 구별할 수 있어야 한다.

1) 노망

　노망(老妄)은 늙어서도 철이 들지 않아 아이들처럼 어리석은 행동을 하며 주변 사람들에게 피해를 입히는 행동을 말한다. 과거에는 노인이 정신이 흐려져서 말과 행동이 비정상적이면 노망이 들었다고 하였다.

　노망은 노인이면 뇌세포가 죽으면서 당연히 겪게 되는 노화현상이다. 노망과 치매의 차이는 노망은 신체 노화에 따른 자연스러운 현상인 반면에, 치매는 의학적 관찰로 진단되는 특정 원인을 가지는 치료의 대상이다.

2) 망령

　망령(妄靈)의 사전적인 의미는 '죽은 사람의 영혼'이라는 뜻으로 인간이나 동물의 시체로부터 떨어져 나온 혼을 가리키는 말이기도 하다. 망령은 사람이 늙거나 큰 병으로 정신력이 쇠약해져서 언행이 보통 상태를 벗어나는 현상을 말한다.

　망령은 노망보다 상태가 심한 경우에 사용하며, 부정적인 의미가 더욱 강하다. 노망처럼 나이가 들어 정신이 흐려져서 말과 행동이 비정상적이면 망령이 들었다고 한다.

　망령과 치매의 차이도 망령은 신체 노화에 따른 자연스러운 현상인 반면에,

치매는 의학적 관찰로 진단되는 특정 원인을 가지는 치료의 대상이다.

3) 건망증

건망증(健忘症)은 경험한 일을 전혀 기억하지 못하거나, 어느 시기 동안의 일을 전혀 기억하지 잘못하거나, 또는 드문드문 기억하기도 하다가 다시 기억이 나는 기억장애를 말한다.

치매로 인한 기억장애는 한번 기억이 안 나면 거의 기억이 나지 않지만, 건망증은 기억이 안 났다가도 일정한 시간이 지나면 기억이 나는 차이가 있다.

노인 건망증의 원인은 뇌신경의 퇴화라는 것 외에도 복합적인 심리적·정서적인 요인으로 나타나기도 한다. 불안감이나 우울증을 겪고 있거나, 심각한 스트레스 상황에 지속적으로 노출되면 집중력의 저하로 일시적인 건망증이 자주 일어난다.

이는 기억의 문제라기보다는 오히려 그 상황에 의한 집중력에 문제가 생기는 경우라 할 수 있다.

4) 노인 우울증

노인 우울증은 65세 이상 인구의 10명 중 1명이 걸릴 수 있으며 노년기의 정신건강과 관련된 가장 흔한 장애다. 노인 우울증의 증상은 기분이 깊게 가라앉거나 절망감·우울감 등 마음의 고통이 나타나 치매와 유사한 행동을 나타낼 때도 있다. 그러나 노인 우울증은 정신적인 증상만이 아니라 두통, 복통이나 위장 장애 등의 신체적 증상으로 나타나는 경우가 많다.

노인 우울증은 다양한 증상으로 나타나기 때문에 우울증이라고 정확하게 진단하지 못하고 지나치기 쉬운 경우가 많다. 노인 우울증을 진단하기 쉽지 않은 이유가 본인이 우울증에 걸렸다는 걸 깨닫지 못할 뿐만 아니라, 가족이나 친구 등 주위의 사람들도 기운이 없는 것은 '나이 탓이다', '늙으면 누구나 잠이 줄어

든다', '늙어서 혼자되었으니 기운이 없는 것이 당연하다'고 이해하여 방치되는 일이 많기 때문이다.

노인 우울증은 크게 세 가지 이유로 나타난다.

● 뇌의 노화가 진행됨에 따라 뇌 자체도 노화하여 실제로 뇌에 포함된 화학 물질(신경전달물질) 일부에 양적 변화나 부조화가 나타나 부신피질, 갑상선, 하수체 등에서 분비되는 호르몬이 우울 상태를 일으키기 쉽다고 보고 있다.

● 심리적으로 노년이 되면 노화에 따라 성격이 변하고, 그 때문에 스트레스에 대응하는 힘이 약해져 우울증이 일어나기 쉽다.

● 사회적 상실은 누구라도 피하기 어려운 경험이지만 노인의 경우에는 상실감이 복합적으로 겹쳐서 타격이 크며 아무리 해도 대처할 수 없으면 우울증을 일으키게 된다.

5) 노인 강박신경증

노인 강박신경증은 의지의 간섭을 벗어나서 특정한 생각이나 행동을 반복하는 상태를 말한다. 노인 강박신경증은 특정한 생각이나 행동이 나타나기 때문에 때로는 치매와 유사한 행동을 나타낼 때도 있다. 그러나 노인 강박신경증은 잠시 나타나는 증상인데 반하여, 치매는 지속적으로 증상이 나타난다.

강박신경증으로 내재된 불안은 자신의 의지에 의해서 어느 정도 조절이 가능하지만, 외부에 의하여 강박 행동을 강제로 중지하게 되면 처음에는 조절되는 것 같지만 나중에는 불안증세가 다시 나타나게 된다. 그리고 자신의 강박증이 불합리적인 것이고 나쁜 것인 줄 알면서도 자신도 모르게 반복하게 된다.

강박신경증이 심해지면 원치 않는 지속적인 생각이나 행동을 하게 되고, 이러한 충동이나 이미지 등이 자신을 더욱 불안하고 힘들게 하지만, 스스로가 통제하지 못하고 생각이나 행동을 반복적으로 하게 된다.

　　자신은 이러한 생각이나 행동이 비합리적이라는 것을 알지만, 생각이나 행동을 통제하거나 조절할 수 없으며, 결국에는 일상생활, 학습, 사회적인 활동이나 대인관계에 막대한 영향을 미치게 된다.

제2장 치매의 문제점

1. 본인의 고통

    치매는 나이든 노인들에게만 나타나는 현상으로 생각하지만 실제로는 빠르면 40대부터 발생할 수 있다. 그러나 치매는 대개 65세 이상의 노인들에게 발생하는 노인성 질환이며, 뇌의 만성 또는 진행성 질환에서 생기므로 치매에 걸리면 시간이 지날수록 증상이 심해진다.

    치매는 초기에는 가벼운 기억에 관련된 장애가 나타나 기억이 저장되지 않을 뿐더러 과거의 기억도 잃어버리게 된다.

    치매가 진행될수록 인지장애 등이 점차 동반됨으로써 판단능력이 떨어지며, 언어 장애로 인하여 일반적인 사회활동 또는 대인관계에 어려움을 겪게 된다.

    치매가 심해지면 행동에 대한 통제가 어려워져 일상생활이 어려워지며, 심하면 대소변의 분변이 어렵게 된다. 더욱이 자신에게 위해를 가하거나, 간병인이나 보호자에 대하여 공격적인 행동을 하기도 한다.

    말기에는 일상생활이 어려워져 누워서 남의 도움을 받아야 하며, 결국은 사망에 이르게 된다.

2. 가족의 고통

치매는 노인에게 흔한 질병으로 일반적인 병과는 달리 평균 5~8년 정도 치매가 진행되고, 신체적인 기능들이 떨어져 결국은 생존 자체를 어렵게 만든다.

치매에 걸리면 본인 스스로 세상을 살아가거나 치료를 받기 어렵기 때문에 누군가는 부양해야 한다.

부모나 배우자가 치매에 걸리면 가족은 길게는 10년 가까이 치매 환자를 돌봐야 한다. 요양기간이 길게는 수년이 걸리기 때문에 본인과 가족에게 상당한 고통을 주게 된다.

만성 퇴행성 질환인 치매는 다양한 정신기능 장애로 환자의 정서적 활동뿐만 아니라 일상생활, 즉, 식사하기, 대소변보기, 목욕하기, 옷 갈아입기, 몸단장하기 등의 장애까지 초래하게 된다.

이처럼 치매환자는 극심한 정신적인 장애와 함께 흔히 신체적인 장애까지 겸하여 다루기가 어렵고, 사물을 이성적으로 판단하지 못하고, 자기 스스로 생활하기 어렵기 때문에 간호와 부양에 어려움이 크다. 따라서 가족에 의한 치매 환자의 부양은 어린아이를 보는 것보다 더 많은 힘이 들기 때문에 육체적으로도 매우 고단한 일이다.

더 큰 문제는 병원비용과 수발과 간호에 들어가는 관리비용의 증가로 인하여 경제적으로 어려움이 크다. 매달 들어가는 병원비와 간호에 들어가는 비용의 증가는 당장 가족에게 경제적으로 큰 부감을 줄 수밖에 없다. 경제적인 부담의 증가로 인해 치매 환자를 부양하려는 가족은 점차 줄어가고 있다.

치매는 장기적인 치료를 필요로 하는 질환이기 때문에 가족 가운데 치매 환자가 있으면 경제적 부담은 물론 심리적인 부담감이 매우 큰 노인성 질환이며, 심지어 이로 인해 가족의 기능마저 와해되는 경우가 있다.

이러한 어려움으로 인해 가정에서 주로 담당해 왔던 치매 환자 부양이 점차 공공부문으로 이전되는 경향이 있으며 이에 따라 치매 환자에 대한 대책이 중요한 정책 과제로 대두되고 있다.

3. 국가 부담 증가

　지금까지 치매 환자를 보호해왔던 가족은 산업화와 도시화의 현상으로 핵가족화, 여성의 사회참여, 가족의 전통적 부양의식의 변화, 노인 단독가구의 증가, 경제적인 어려움 등으로 인하여 가족의 부양기능이 약화되고 있는 실정이다.

　이러한 가운데 치매노인을 위한 부양부담을 더 이상 가족에게만 맡길 수 없는 상황에 이르렀으며, 국가가 나서서 치매예방과 치매환자 관리에 나서고 있다.

　문제는 치매환자의 진료와 치매환자 관리에 국가가 지출하는 비용은 치매인구의 증가로 인하여 더욱 증대되고 있다.

　우리나라 국가 예산 중에서 치매관리 사업에 사용한 총예산은 2008년부터 2012년까지 300억원 대를 유지하였다. 그러나 2013년에는 광역치매센터를 설립하고, 2014년에는 노인 장기요양보험에서 '치매특별등급' 도입 등이 추진됨에 따라 2014년 치매관리 사업에 사용한 총예산은 785억원으로 예전에 비하여 2.5배가 증가하였다.

　보건복지부가 발표한 치매관리 비용과 치매치료에 들어가는 관리 비용의 규모를 2012년에는 10조 3천억이 소요되었다. 그러나 노인의 증가로 인하여 치매노인들이 증가함으로 인하여 2025년에는 치매치료에 들어가는 관리 비용은 30조가 필요하며, 2030년에는 78.4조가 필요하며, 2050년에는 134.4조가 필요할 것으로 예측하고 있다.

<표 2-1> 치매관리 및 치매환자 관리 비용 추이

구 분	2012년	2025년	2040년	2050년
65세 이상 인구 수	53.4만명	103만명	185만명	237만명
65세 이상 치매노인 비율	9.1%	10%	11.2%	13.2%
치매관리 및 치매환자 비용	10조 3000억	30조	78조 4000억	134조 6000억

* 출처 : 보건복지부

치매치료에 들어가는 관리비용은 증가해도 문제는 치매환자들에게 모두 만족할만하지는 않다는 것이다.

치매는 노령인구의 증가에 따라 치매환자의 수가 급격히 증가할 것으로 예상되나, 치매환자들을 위한 각종 서비스, 가족들의 부양부담을 덜어주는 다양한 사회적 수단은 아직도 부족한 상태라고 할 수 있다.

사회적으로 치매 환자의 증가와 치매로 인한 여러 가지 문제점이 심각해지고 있지만, 이를 해결하기 위해서 정부나 병원에서는 치매에 대한 연구와 치매에 관련된 정책들을 만들어 내고 있다. 그러나 아직은 가족들을 만족시키기에는 어려운 실정이다. 치매 환자를 돌보는 노인 장기요양 보호 서비스를 시행하고 있지만, 가족이 부양하던 것을 대신하기에는 많은 부족함과 문제점들을 안고 있다.

앞으로 점차 증가하는 치매 환자와 그의 가족들을 위해서 가정과 지역사회 내에서의 적절한 진단과 예방, 치료, 재활을 위한 서비스를 이용할 수 있도록 국가주도의 치매환자를 위한 재가서비스, 치매전문 요양시설 등의 보호 서비스의 확충과 치매환자 부양가족을 위한 복지서비스를 체계적으로 도입해야 하는 정책개발의 필요성이 절실히 요구되어 진다.

제3장 치매의 증상

1. 인지기능 장애

인지기능이란 지식과 정보를 효율적으로 조작하는 능력을 말한다. 치매에 걸리면 인지기능에 장애가 생기는데 치매와 관련된 인지에는 지남력, 집중력, 지각력, 기억력, 판단력, 언어력, 시공간력, 계산능력 등을 들 수 있다.

1) 기억력 장애

기억력이란 이전의 경험이나 자극을 머리 속에 저장했다가 떠올리는 능력을 말한다. 건강한 사람은 일상에서 얻어지는 인상을 머릿속에 저장하였다가 다시 기억과 회상을 하는 뇌의 활동의 반복이 끊임없이 이루어진다.

기억의 과정은 새로운 경험을 저장하는 작용, 기명된 내용이 망각되지 않도록 유지하는 작용, 유지하고 있는 사항을 회상할 수 있는 활동으로 이루어지는데, 이것을 기억의 3요소라 한다.

기억은 전두엽의 대뇌피질에 저장되고, 해마는 기억형성에 관여하는 것으로 보여 진다. 사람의 뇌는 20대를 중심으로 점차적으로 쇠퇴하여 나이가 들수록 뇌세포도 죽게 된다.

한 번 파괴된 뇌세포는 다시 재생되기 어렵지만 다행이도 인간의 뇌세포는 우리가 상상할 수 없을 만큼 많아서 나이 변화에 따르는 뇌세포의 감소가 일상생활을 위협하지 않는다.

그러나 치매에 걸리게 되면 뇌기능에 손상을 입기 때문에 기억력에 장애가 생긴다. 알츠하이머병에 걸리는 경우, 기억을 입력하는 데 중요한 구실을 하는 해마가 손상되거나 망가진다. 이런 이유 때문에 치매환자는 기억 정보가 잘 입력되지 못하여, 최근에 있었던 일을 기억하지 못하는 특징을 보인다.

치매환자에게 가장 흔하게 나타나는 증상이 기억력 장애다. 기억력 장애는 알츠하이머병 뿐 아니라 모든 치매에서 공통적으로 나타날 수 있는 증상으로서 초기에는 단기 기억력의 감퇴가 주로 나타나며, 점차 장기 기억력도 상실하게 된다.

● 단기기억

단기기억은 경험한 것을 수초 동안만 기억하게 되는 즉각적인 기억을 말한다. 즉 기억의 보유시간이 아주 짧은 시간만을 기억하는 것을 단기기억이라 한다. 단기기억은 비교적 불안정하며, 두부에 외상을 입거나 전기충격 등으로 의식이 상실되거나, 치매에 걸리면 단기기억이 쉽게 소실된다.

단기기억 상실은 주로 치매 초기에 나타나는 특징이며, 최근에 일어난 사건에 대한 단기기억의 상실이 장기기억의 상실에 비해 두드러지게 나타난다.
단기기억에 문제가 생기면 금방 들은 전화번호나 사람의 이름이 기억나지 않으며, 대화 중에 중요하게 기억해야 할 것을 금방 잊어버리게 되고, 자신이 지금 바로 해야 되는 일 등이 기억나지 않게 된다.

단기기억력이 떨어지면 현재 자신이 하던 일이 무엇인지를 몰라서 난처한 경우가 생기게 된다. 예를 들면 물을 사용하다 그대로 틀어 놓는다거나, 다리미로 옷을 다리다가 그대로 두거나, 전기장판이나 가스 불을 끄지 않은 채 그대로 내버려 두어 화재의 위험에 노출되기도 한다.
치매환자는 본인이 기억나지 않는다는 것을 인정하고 싶지 않기 때문에 기억을 보충하기 위하여 거짓말을 만들어 말하는 작화증이 나타나기도 한다.

● 장기기억

장기기억은 용량에 제한이 없고 경험한 것을 수개월에서 길게는 평생 동안

의식 속에 보존되는 기억을 말한다. 기억이 장기기억으로 저장되기 위해서는 부호화, 공고화, 저장, 인출이라는 4단계가 필요하다.

치매의 진행이 오래되어 심해지면, 비교적 잘 유지해 왔던 장기기억에도 문제가 생긴다. 장기기억에 문제가 되면 의사소통에서 똑같은 말을 반복하거나 더듬고 익숙한 장소에서도 방향감각을 잃어버리고, 친구와의 약속, 약 먹는 시간, 친구나 심하면 가족의 이름이나 전화번호 등을 잊어버리기도 한다.

장기기억이 지속적으로 손실되게 되면 본인의 생일이나 이름도 기억하지 못하거나, 계속 방치하게 되면 가족의 얼굴이나 친구의 얼굴 조차 잊어버리게 된다. 장기기억이 사라지면 본인은 모르지만 자신이 사랑하는 가족이나 지인들을 슬프게 만든다.

2) 지남력 장애

지남력이란 시간과 장소, 상황이나 환경 따위를 올바로 인식하는 능력을 말한다. 치매에 걸리면 치매 초기에는 지남력 저하를 보이는데 시간, 장소, 사람을 측정하는 능력이 떨어지게 된다.

치매에 걸리면 시간에 대한 인식, 장소에 대한 인식, 사람에 대한 인식 순으로 저하된다. 시간에 대한 인식은 치매가 시작되면 환자가 지금이 몇 년도 인지, 몇 월 인지, 무슨 요일인지의 날짜 구분이 어려우며 혹은 지금이 무슨 계절인지, 몇 시인지의 구분하는 능력이 사라지게 된다.

그리고 자신이 어디에 있는지, 어디로 가야 하는지, 주소가 어떻게 되는지와 같은 장소에 대해 인식하는 능력이 떨어진다. 그리고 본인이나 타인의 이름이나 전화번호와 어떤 일을 했는지 같은 사람에 대한 인식 능력이 떨어지게 된다.

3) 시공간력 장애

사물의 크기, 공간적 성격을 인지하는 능력을 말한다. 치매에 걸리면 시공간을 인식하는 능력에 장애가 생겨 익숙한 거리에서 길을 잃거나, 집을 찾지 못하고 길을 잃어버리게 된다.

심하게는 집안에서 방이나 화장실 등을 찾아가지 못하는 증상까지 발전할 수 있다. 또한 이는 자동차를 운전하는 경우는 목적지를 제대로 찾아갈 수 없는 상황을 초래하기도 한다.

4) 계산능력 저하

물건 또는 값의 크기를 비교하거나 주어진 수나 식(式)을 연산의 법칙에 따라 처리하여 수치를 구하는 능력을 말한다.

치매에 걸리면 계산능력이 떨어져 간단한 더하기나 빼기 등의 계산을 잘못하거나, 물건을 사고 화폐의 가치를 계산하는데 어려움을 느끼는 증상이 나타난다. 계산능력이 저하되면 일상생활에서 수에 관련된 일에 어려움을 겪게 된다.

5) 시지각 기능 저하

시각을 통해 수용한 시각적 자극을 정확하게 인지하는 능력만이 아니라 외부환경으로부터 들어온 시각 자극을 선행경험과 연결하여 인식, 변별, 해석하는 두뇌활동을 말한다. 치매에 걸리면 시지각 기능이 저하되어 사물의 형태, 모양, 색깔 구별을 잘못하는 증상들이 나타난다.

6) 판단력 장애

사물을 올바르게 인식·평가하는 사고 능력을 말한다. 치매에 걸리면 무엇을 결정할 때 시간이 걸리거나 잘못 결정하는 장애를 말한다. 판단력에 장애가 생기면 사물을 인지하지 못하거나 의미를 파악하지 못하며, 사물의 모양이나 색깔은 파악할 수 있지만 그 사물이 무엇이며 용도가 무엇인지를 모르게 된다.

치매환자가 이 증상을 보이게 되면 직장뿐만 아니라 가정에서도 뚜렷한 이상이 있는 것으로 인식된다.

판단력이 흐려지면 자신이 무엇을 해야 할지 결정을 잘못하거나, 돈 관리를 제대로 하지 못하며, 필요 없는 물건을 구입하기도 하며, 결정해야 할 사항에 대해서 어떻게 결정해야 할지 판단을 잘못하게 된다.

7) 집중력 저하

어떤 일을 할 때 상관없는 주변 소음이나 자극에 방해받지 않고 그 일에만 몰두하는 능력을 말한다.

집중력은 환경과 감각으로부터 얻어진 정보를 통해 결정을 내리는 것을 돕는데 치매에 걸리면 집중력이 떨어지는 증상이 나타난다.

8) 실행능력 장애

감각 및 운동기관이 온전한데도 불구하고 해야 할 행동을 실행하지 못하는 것을 일컫는다. 신발을 신을 때 운동화 끈을 제대로 매지 못하거나, 식구 수대로 식탁을 차리는 일에 어려움을 느끼게 되거나, 옷을 입는 단순한 일에서 조차 장애가 나타나게 된다.

2. 언어적 장애

언어는 자신의 생각이나 감정을 표현하고, 다른 사람의 말을 이해하여 의사를 소통하기 위한 소리나 문자 따위의 수단을 말한다. 치매환자 중에는 기억이나 지능에 현저한 장애가 나타나서 회화에 의한 사고의 전달이 곤란한 경우가 많이 있다.

치매에 걸리면 단어가 금방 떠오르지 않아 말이 자연스럽지 않으며, 끊기는 언어 장애가 생긴다. 그러나 치매환자가 생각하고 있는 모든 것을 말로는 전할 수 없어도 한정된 회화나 태도 등의 방법으로 의사소통을 시도할 수는 있다.

치매환자에 따라서는 심하면 일상생활에 필요한 말을 제대로 의사표현하지 못하는 정도의 사람이 있는가 하면, 오래되고 친숙한 사람의 이름이나 물품의 이름을 말할 수 없는 정도의 사람도 있다.

언어 장애는 기억력의 감퇴와 마찬가지로 치매의 초기에는 언어장애가 경미하게 나타나나, 치매가 더욱 진행될수록 점차 말 수가 현저히 줄어들어 완전히 말문을 닫아 버리고 마침내 전혀 말이 없어져 버린다.

치매환자가 말을 하지 않는다고 해서 가족이나 간병인이 말을 안하게 되면 더욱 빨리 언어사용 능력이 떨어진다. 따라서 치매환자와의 적절한 의사소통 기법을 습득해 두는 것이 중요하다.

3. 신체적 장애

치매에 걸리면 나타나는 신체적인 특성은 치매 초기에는 가벼운 두통과 현기증이 나타나기 때문에 치매인지 모르고 지나가는 경우가 많다. 그리고 나머지 신체적인 증상들은 비교적 치매 후기에 나타난다.

치매가 진행됨에 따라 신체적으로 나타나는 증상을 보면 근위축 등으로 치매환자들은 신체적 움직임이 점차로 줄어들고, 보행이 불안정해지며, 식사와 착의, 세면, 개인위생이 어려워지며, 배뇨 및 배변 등에 이르기까지 장애가 나타난다.

또한 신체적 질병에 대한 저항력이 떨어져 합병증을 일으키는 경우가 많으며 치매환자의 대다수가 고령이므로 고혈압과 뇌졸중, 심장질환, 신경통, 피부질환, 호흡기질환, 관절염, 마비 등의 병에 걸리는 경우가 많다.

치매 환자의 신체적 증상은 환자의 신체 자체에 여러 가지 질환이 나타나기도 하지만, 그로 인한 이차적인 합병증이 유발되거나, 신체 기능 저하로 인해 일상생활이 어려워진다.

4. 정서적 장애

　정서란 사람의 마음에 일어나는 여러 가지 감정을 말하며, 치매에 걸리게 되면 정서적인 장애가 나타난다. 치매로 인하여 나타나는 정서적인 장애는 다음과 같다.

1) 인격 변화
　치매에 걸리게 되어 후기로 갈수록 인격의 변화가 생긴다. 인격이 변화되면 환자가 본래 가지고 있던 성격이 내성적으로 바뀌게 된다.
　치매환자의 인격 변화는 환자의 가족들을 가장 괴롭히는 양상이다. 편집증적인 망상을 가지고 있는 치매환자는 전반적으로 가족들과 간호하는 사람에게 적대적으로 변하는 경우가 많다.

2) 성격 변화
　치매에 걸리면 점차 세상일에 대해서 무관심해지고, 특히 다른 사람과의 만남을 꺼려한다. 다른 사람과 만나도 다른 사람의 욕구에 전혀 관심이 없어진다. 그리고 자신의 행동이 다른 사람에게 미치는 영향에 대해 개의치 않고, 고집이 세져 남의 말을 듣지 않고 자신이 하고 싶은 행동을 하게 된다.
　치매에 걸려 오래 지날수록 모든 것을 자기중심적으로 생각하고, 이기적이 되어 간다. 활동적이던 사람도 치매에 걸리면 수동적이 되고 냉담해진다.

3) 외모에 대한 무관심
　치매에 걸리면 점차 자신의 외모에 관심이 없어져, 몸을 깨끗이 하려 하지 않는다. 특히 깔끔하던 사람도 위생관념이 없어져 지저분하게 보이고, 모든 활동에 흥미와 의욕이 없어지는 등 우울증이 심해진다.

4) 정신 장애

치매에 걸리면 자신도 모르게 불안해지고, 초조해지고, 우울증이 심해진다. 또한 심한 감정의 굴곡이 생기며, 감정이 실종되거나, 감동적인 일에도 무감동하는 일이 생긴다.

그리고 환청, 환시, 환촉 같은 감각기능의 장애가 발생하며, 피해망상증이 흔히 발생하기도 한다. 이로 인해 발생하는 행동장애로는 공격적 행동이 나타나 자해하거나 타인에게 위해를 끼친다.

5) 기타

치매에 걸리면 점차 소유개념을 잃어 자신의 물건이 무엇인지를 모르게 된다. 그리고 염치를 모르게 되고, 타인의 치매환자에 대한 부정적인 생각을 전혀 인식하지 못하게 된다.

5. 행동 장애

치매가 심해질수록 치매환자에게는 행동 장애가 나타나게 된다. 치매가 심해지면 치매환자가 보호자만 찾아다니면서 졸졸 따라다닌다든지, 혼자서 무작정 집을 나가 사라진다든지, 특별한 목적 없이 계속 왔다 갔다 배회하는 증상이 나타난다.

행동 장애가 나타나면 치매환자는 심하게 초조한 모습을 보이면서, 때때로 보호자나 다른 사람에게 화를 내거나 폭력적인 행동을 하기도 한다. 그리고 가족이나 간호인에게 계속 의미 없는 질문을 반복해서 묻거나, 지속적으로 뭔가 불만을 드러내기도 한다.

치매가 진행될수록 신체적인 기능이 떨어져 넘어지거나 부딪힘으로 인해서 신체적 장애를 입을 수 있다. 심하면 자신의 몸에 자해를 하거나, 더 큰 문제는 치매 환자를 돌보는 가족이나 보호자를 대상으로 공격적인 행동을 함으로 인해서 타인에게 피해를 입히는 사고가 생기기도 한다.

특히 보호자들 입장에서는 치매나 행동장애에 대한 사전지식이 없으면 환자가 의도적으로 자기를 힘들게 하기 위해 그런다고 생각하게 되어 보호자를 더욱 힘들게 한다.

제4장 치매의 원인

1. 알츠하이머 질환

알츠하이머형 치매는 1907년 알로이스 알츠하이머가 질환의 뇌 병리 소견을 처음 학계에 보고하였기에 그의 이름을 따서 알츠하이머 질환(AD : Alzheimer's Disease)이라고 명명하였다. 알츠하이머 질환은 치매환자 중 약 3분의 2를 차지하기 때문에 노인성 치매라고 부르기도 한다.

알츠하이머 질환은 흔히 나이가 들면서 서서히 인지기능과 일상생활 능력을 저하 시킨 후 죽음에 이르게 하는 대표적인 퇴행성 신경정신계 질환이다.

[그림 4-1] 알로이스 알츠하이머

정신과의사인 알츠하이머는 수년간 진행성 치매로 사망한 여자의 뇌를 해부해 본 결과 육안으로 봐도 나이에 비해 뇌가 눈에 띄게 수축되어 있었으며, 조직검사를 해보니 뇌신경 섬유가 엉켜진 것과 반점을 발견하였다. 이후 알츠하이머는 인지기능의 저하가 뚜렷한 환자를 부검해 뇌 조직을 볼 때마다 이와 유사한 소견을 발견할 수 있었다.

알츠하이머는 치매에 걸린 사람들이 지적 능력을 유지하는데 중요한 뇌 부위에 있던 신경세포들이 많이 없어진 것과 이러한 뇌신경세포 사이에서 오가는 아주 복잡한 신호들을 서로 전달해주는데 필요한 어떤 특정 화학물질의 양이 많이 떨어져 있다는 것을 발견하였다. 그리고 알츠하이머는 치매가 매우 서서히 발병하여 점진적으로 진행되는 경과가 특징적이라는 것을 발견하였다.

[그림 4-2] 건강한 뇌   [그림 4-3] 알츠하이머 병에 걸린 뇌

알츠하이머형 치매는 주로 65세 이후에 많이 나타나지만, 드물게 40, 50대에서도 발생한다. 발병 연령에 따라 65세 미만에서 발병한 경우를 조발성(초로기) 알츠하이머병, 65세 이상에서 발병한 경우 만발성(노년기) 알츠하이머병으로 구분할 수 있다.

알츠하이머 질환의 첫 번째 증상은 아주 가벼운 건망증이 나타나며, 초기에는 두통, 현기증, 우울증 등 정신 증상으로 시작되는 경우가 많다. 이것이 점차 진행되면 고도의 기억력이 감퇴, 공간과 시간의 지남력 상실, 언어 구사력, 이해력, 읽고 쓰기 능력 등의 장애를 가지고 오게 된다. 그리고 이 시기를 지나면 경련 발작이나 보행 장애가 나타난다. 그 이후에 질환에 걸린 환자는 불안해하기도 하고 매우 공격적이 될 수도 있으며, 집을 나와서 길을 잃어버리고 거리를 방황할 수도 있다.

2. 혈관성 치매

혈관성 치매는 치매 중에서 두 번째로 많은 것으로, 치매환자의 20% 정도를 차지한다. 혈관성 치매는 다른 퇴행성 질환과 달리 고혈압과 뇌동맥 경화증, 당뇨병 등에 의한 뇌혈관 장애로부터 이차적으로 뇌세포에 변성을 일으키는 것을 말하며 다발성 뇌경색이라고도 한다.

혈관성 치매는 원인에 따라 여러 가지로 분류할 수 있다. 뇌에 피를 공급하는 뇌혈관들이 막히거나 좁아진 것이 원인이 되어 나타나거나, 반복되는 뇌졸중(중풍 또는 풍)에 의해서도 나타날 수 있는데, 뇌 안으로 흐르는 혈액의 양이 줄거나 막혀 발생하게 된다.

뇌졸중은 뇌혈관이 막히거나 터져서 그 혈관에 의해 혈액공급을 받는 뇌 조직이 기능을 하지 못하여서 갑자기 나타나는 것이 특징이다. 뇌졸중에 걸린 사람들 중에 1/4이상이 혈관성 치매에 걸리는 것으로 나타났으며, 한국인의 3대 사망 원인 중 하나다.

혈관성 치매는 서서히 조금씩 진행되는 알츠하이머병 치매와는 달리 갑자기 치매현상을 보이거나 상당 기간에 걸쳐 호전과 악화의 경과를 보인다.

혈관성 치매에 걸리게 되는 경우는 과거에 뇌졸중의 경력이 있거나, 국소적인 신경학적 이상 소견을 가지는 것이 보통이다.

혈관성 치매의 초기증상은 두통, 현기증, 상하지의 무력감, 몸이 저리고 피로하기 쉬우며 집중곤란 등의 신경쇠약 증상으로 시작되는 경우가 많다. 그리고 인지능력이나 정신능력이 조금 나빠졌다가 그 수준을 유지하고 또 갑자기 조금 나빠졌다가 유지되고 하는 식의 단계적 악화의 양상을 보인다.

　점차 신체적으로는 팔, 다리 등의 마비가 오거나 언어 장애나 구동 장애 또는 시야장애 등도 흔하게 나타난다. 인격 변화는 비교적 초기에서부터 볼 수 있으며 원래의 성격이 첨예화되는 수가 많다.

　혈관성 치매는 일단 발생하면 완치될 수 없으나, 초기에 자기공명영상장치(MRI)를 통해 발견할 수 있으며, 적절한 치료를 받으면 더 이상의 악화는 막을 수 있다. 따라서 혈관성 치매는 기초 질환의 치료와 예방에 의해 그 증상을 막거나 또한 지연시키는 것도 가능하므로 성인기부터 정기적인 검진에 적극 참여하여 적절한 조치를 받는 것이 치매예방에 있어 중요하다.

3. 루이소체병

　루이소체병으로 인한 치매는 흔한 질환이지만 의외로 한국에선 잘 알려져 있지 않다. 루이소체병은 치매 중에서 가장 흔한 유형은 알츠하이머병으로 다음으로 흔한 치매 유형으로 치매의 20% 정도를 차지한다. 하지만 우리나라에서 루이소체 치매 환자의 수가 얼마나 되는지는 지금껏 제대로 파악조차 되지 않은 실정이다.

　루이소체병의 증상은 의식 및 인지기능의 심한 기복, 환시, 피해망상과 수면장애(꿈을 꾸다가 소리를 지르거나 꿈을 꾸면서 꿈의 내용대로 움직이는 증상)이 나타난다.

　루이소체병에 걸리면 알츠하이머 치매에서 보이는 기억력 장애, 공간 감각 저하, 사물 인식능력 저하 등과 같은 인지 장애 증상이 보인다. 그리고 파킨슨병에서 보이는 증상인 느린 동작, 손 떨림, 몸이 뻣뻣해지는 증상, 보행 및 균형장애가 동시에 수반되는 특이 질환이다.

　루이소체병에 걸리면 알츠하이머 치매나 파킨슨병의 증상이 나타나기 때문에 적절한 진단을 내리기가 어려운 경우가 많다. 그러다 보니 잘못된 진단이 내려지기도 한다.

4. 파킨슨병

　파킨슨병은 도파민 신경세포의 소실로 인해 발생하는 신경계의 만성 진행성 퇴행성 질환을 말한다. 파킨슨병에 걸리면 뇌 질환의 하나로 뇌에 있는 도파민을 전달하는 신경세포가 점차 소실되어 치매에 걸리게 된다.

　도파민을 전달하는 신경세포가 점차 소실되면 도파민이 부족해지게 되어 신체의 떨림, 경직, 느린 운동, 자세 불안정성 등 운동신경이 원활하게 작동하지 못하는 운동 신경 장애가 생긴다.

　파킨슨병 환자는 60세 이상에서 인구의 약 1% 정도로 추정된다. 파킨슨병에 걸린 환자들 중 30~40% 정도는 파킨슨병의 말기에 치매의 증상을 나타낸다.

　증상은 초기에는 몸과 팔, 다리가 굳고 동작이 둔함을 느끼게 된다. 그리고 가만히 있을 때 손이 떨리며, 말이 어눌해지고, 보폭이 줄고, 걸음걸이가 늦어지는 등의 현상이 나타나다 누적되어 치매로 발전되는 경우가 있다.

　반대로 알츠하이머병 환자의 일부는 병이 진행하면서 파킨슨병의 증상을 보일 수도 있다.

　파킨슨병에 의한 치매는 약물을 복용함으로써 운동장애 기능을 완화하여 줄 수 있지만 부작용 현상으로 망상, 환각, 일시적인 혼란 상태 또는 비정상적인 움직임이 나타날 수 있다.

5. 피크병

피크병은 체코의 정신의학자 아놀드 피크(Arnold Pick)가 발견해 그의 이름을 따서 지은 것으로, 치매의 일종이다. 피크병은 알츠하이머, 루이소체병, 혈관성 치매에 이어 네 번째로 많이 발견되고 있다.

피크병은 뇌의 앞, 옆 부분이 위축돼 발생된다고 알려져 있으나 위축의 원인은 아직 명확하게 밝혀지지 않았다. 피크병은 노인층이 아니라 젊은 층에서도 많이 발견된다. 여성보다는 남성에게서 많이 발병되는 양상을 보이며, 우울증으로 오진하기 쉽다.

피크병의 증상은 뇌의 전두엽이나 측두엽이 손상되어 처음에는 언어 상의 장애가 오며, 점차 행동장애, 인격장애 그리고 결국은 기억장애가 나타나는 비교적 드문 뇌 질환이다.

피크병은 갈수록 증상이 심해져 결국은 언어장애와 이상행동 그리고 치매를 유발하게 된다. 예를 들어 주변 상황을 배려하지 않는 지나친 행동을 하거나, 갑자기 물건을 훔치는 등의 행동을 하고도 기억을 하지 못하는 증상을 보인다. 또한 단기간만 기억할 수 있고, 같은 음식을 자꾸 먹으려 하거나, 했던 말을 자꾸 반복하는 모습을 보이기도 한다.

피크병은 매우 이상한 행동양식을 보이기 때문에 종종 정신과 의사에 의해서 발견되기도 한다. 알츠하이머병과 같이 부검에 의해서만 확진할 수 있다.

6. 크로이트펠트 야콥병

크로이트펠트 야콥병은 신경 및 신경근육계 이상이 빠르게 진행되는 대단히 희귀한 퇴행성 뇌질환이다. 크로이트펠트 야콥병은 프라이온(prion)단백질이라 불리는 물질에 의하여 발생하는 것으로 알려져 있다. 프라이온(prion)단백질은 핵산을 포함하지 않은 단백질로 구성된 감염 물질이다.

크로이트펠트 야콥병은 가족성, 감염성, 산발성 형태 모두 프리온 가설로 설명되어지고 있다. 다른 치매는 주로 노인층에 나타나지만 크로이트펠트 야콥병은 청년층과 장년층에서 나타난다.

크로이트펠트 야콥병의 증상은 초기에는 기억력 장애가 나타나고, 혼돈, 우울증, 행동 변화, 시력 장애, 조화 능력의 장애가 나타난다. 이후 의식장애와 근육의 간대성 근경련 또는 팔, 다리에 허약감, 또는 앞이 잘 안 보이는 등의 시각 증상으로 시작해서 매우 빠르게 진행된다.

크로이트펠트 야콥병에 걸리면 대략 10년이 지나야 질병이 발병하는 것처럼 보이나, 일부 사례에서 잠복기가 30년 이상 연장되기도 한다. 결국은 혼수상태에 이르게 된다.

7. 헌팅톤병

헌팅톤병은 뇌의 특정 부위의 신경 세포들이 선택적으로 파괴되어 가는 진행성 퇴행성 뇌 질환을 말한다. 헌팅톤병은 4번 염색체의 '헌팅틴(Huntingtin)'으로 알려진 유전자의 돌연변이에 의해 발병하며, 유전되는 질환이다.

헌팅톤병은 근육간의 조정능력이 상실과 인지능력 저하 및 정신적인 문제가 동반되는 진행성의 신경계 퇴행성 질환으로, 유전적 질환으로 알려져 있다.

헌팅톤병에 걸리면 10~25년 또는 그 이상의 경과를 밟으며, 폐렴이나 기타 감염, 낙상으로 인한 손상 등 생명을 위협하는 합병증이 동반되기도 한다.

헌팅톤병은 사람의 몸과 마음을 모두 침범하여 사람을 힘들게 한다. 헌팅톤병에 걸리면 초기에는 손, 발, 얼굴, 몸통에 있는 각 부분이 내 의지와 관계없이 스스로 움직이며, 무의식적으로 몸을 비트는 듯한 비교적 느린 움직임이 나타난다.

병이 진행함에 따라서 인격과 지적 능력이 점차 떨어지고 기억력, 언어능력, 판단력 등도 점차 감소하게 된다. 치매는 이 병의 말기에 나타난다.

노인들에게서는 치매의 증상으로 주로 나타나는 것에 비해 얼굴이나 팔 등이 저절로 움직여지는 무도증 등으로 나타나거나 정신질환으로 나타날 수도 있다.

8. 기타

술을 많이 먹어서 생기는 알코올 중독으로 인해 생기는 치매를 알코올성 치매라고 한다. 알코올성 치매는 술을 지속해서 많이 마시면 비타민 B_1의 결핍으로 뇌 손상을 일으키게 된다.

알코올성 치매는 알코올에 포함된 독성 물질에 의한 뇌기능 장애가 일어나며, 또는 다른 이유로 사용하는 약물에 의해서도 혼돈상태가 유발될 수 있고 인지장애나 치매증상도 나타날 수 있다.

알코올성 치매의 증상은 기억력이 손상되고 계획을 세우거나 판단하고 대인관계 기술과 균형을 담당하는 기능이 가장 많이 손상된다.

알코올성 치매는 술을 끊으면 증상이 좋아질 수 있으며, 비타민 B_1을 섭취하는 것도 예방에 도움이 되며 치매 증상을 호전시킬 수 있다.

이외에도 외부 원인에 의한 뇌손상, 대사성 뇌 질환, 갑상선 질환, 영양결핍증, 우울증, 후천성면역결핍증(HIV)감염에 의해 치매가 생긴다.

제5장 뇌의 구조와 기능

1. 뇌의 구조

뇌는 모든 동물의 머리 부분에 있으며, 신경세포가 집합하여 신경작용의 가장 중심이 되는 부분이다. 사람의 뇌의 무게는 1.3~1.4kg에 지나지 않으며, 몸무게에서 뇌가 차지하는 비율은 1/50 정도 되지만, 우리 몸에서 가장 중요한 일을 수행한다.

지금까지 알려진 사람의 뇌 가운데 가장 작은 것은 0.45kg, 가장 큰 뇌는 2.3kg인데 둘 다 지능은 보통이다. 동물 중에서는 고래의 뇌가 5~8kg 정도로 가장 크지만, 고래의 몸에서 뇌가 차지하는 비율은 약 1/2,000으로 매우 작으며, 인간보다는 지능이 훨씬 낮다. 사람과 가깝다는 침팬지나 오랑우탄 같은 유인원도 몸 전체에서 뇌가 차지하는 비율은 1/100에 불과한 정도다.

사람의 뇌는 지구상의 어떤 동물보다 뇌가 차지하는 비율이 크기 때문에 동물에 비해서 사람이 지능이 높은 것이라 할 수 있고, 사람은 뇌의 크기에 따라서 지능은 별로 관련이 없는 것으로 나타났다.

인간의 뇌는 모든 행동을 통제하고, 신체 각 부분을 통솔할 뿐만 아니라 학습, 기억, 사고, 문제해결, 감각, 운동 등에 대한 정보처리를 담당하는 신경세포로 구성되어 있는 매우 중요한 기관이다.

뇌는 인체 기관 중에서 가장 복잡한 구조로 되어 있으며, 1,000억 개의 신경세포로 구성되어 신경세포가 밀집되어 있는 신경 덩어리라고 할 수 있다. 신경세포들은 끊임없이 정보를 교환하여 근육과 심장, 소화기관 같은 모든 기관의 기능을 조절할 뿐 아니라, 생각하고 기억하고 상상하는 등 인간의 복잡한 정신활동을 일으킨다. 따라서 뇌는 우리 몸의 모든 기능을 관장하고, 사고하기 때문에 뇌가 조금만 손상을 입으면 그로 인해 영향을 받게 된다.

뇌는 이처럼 복잡하고 많은 활동을 하기 때문에 뇌의 에너지 소비량은 인체가 소비하는 전체 에너지의 20%를 사용한다. 뇌는 혈액을 통해 영양을 공급받기 때문에 심장에서 나가는 혈액의 15%(1분당 750cc)를 사용한다. 또한 우리가 들이마시는 산소의 20~25%를 사용할 정도로 많은 혈액과 산소를 필요로 한다.

인간의 뇌는 대뇌, 사이뇌, 소뇌, 중간뇌, 다리뇌, 숨뇌로 나뉘며 그 역할을 보면 다음과 같다.

[5-1] 뇌의 구조

1) 대뇌

대뇌는 뇌 중 가장 많은 부분을 차지하며, 좌우 2개의 반구로 구성되어 있다. 표면의 대뇌피질과 내부의 백질로 구성되어 있으며, 신경세포와 신경 교세포라고 하는 세포들이 모여 있다.

대뇌에서 신경세포가 주로 신체활동과 정신활동을 담당하는데, 그 신경세포의 몸체는 주로 뇌의 겉껍질 부분에 모여 있다. 그래서 이 부분을 피질이라고 부르고 약간 회색 기운을 띄고 있어서 회백질이라고도 부른다.

대뇌가 담당하는 것은 감각 기관으로부터 들어온 감각 정보를 분석하고, 운동, 감각, 언어, 기억 및 고등정신기능뿐 아니라 생명유지에 필요한 각성, 자율신경계의 조절, 호르몬의 생성, 항상성의 유지 등의 기능을 수행한다.

대뇌는 전두엽, 두정엽, 후두엽, 측두엽으로 구성되어 있다.

[5-2] 대뇌의 구조

2) 사이뇌(간뇌)

대뇌와 중뇌 사이에 위치하는 여러 신경 구조들의 복합체이다. 사이뇌는 시상상부, 시상, 시상하부, 시상밑부로 구성된다. 사이뇌는 감각 신호를 뇌에 입력하는 신경세포와 뇌의 다른 부분을 연결시켜 주는 감각 신호 전달 기관으로 작용하는 역할을 한다.

사이뇌는 구성하는 부위에 따라서 기능이 다른데, 시상상부는 변연계와 뇌의 다른 부분을 연결하는 기능을 하고, 감정 조절에 관여한다. 시상은 냄새를 제외한 모든 감각을 받아들여 대뇌피질로 전달한다.

시상하부는 자율신경계 중추이며 수분대사, 식욕, 수면, 각성주기, 체온조절 등에 관여하고, 호르몬 분비를 조절하는 기능을 한다.

시상밑부는 감각로가 있고 기저 신경절에 연결하는 역할을 한다.

3) 소뇌

머리 뒤쪽에 있는 소뇌는 전체 뇌 용적의 10% 정도를 차지하는 중추신경계의 일부로 대뇌의 뒤쪽 아랫부분에 위치하며 무게는 150g 정도이다. 소뇌는 표면에 있는 자잘한 주름이 많은 것이 특징이다.

소뇌는 평형기관에서 전달된 정보를 바탕으로 몸의 균형을 유지하며, 대뇌피질이 내린 운동 지시가 제대로 이루어지도록 우리 몸의 근육을 선택하여 어느 정도 움직이게 할지를 판단한다. 따라서 소뇌는 우리 몸의 균형을 유지하고 운동 기능을 조절하는 기능을 한다.

4) 중간뇌

뇌의 정중앙에 위치하여 '가운데골', '중뇌'라고 불린다. 중간뇌는 뇌의 대부분을 차지하고 있는 좌우 대뇌 반구 사이에 끼어 있는 뇌줄기를 구성하고 있다. 중간뇌를 포함하는 뇌줄기는 우리가 보통 '숨골'이라고 부를 정도로 사람의 생명을 유지하고 조절하는 데 중요한 기능을 한다.

중간뇌는 부피 자체는 아주 작지만 중요한 신경과 신경핵 등 필수적인 구조물들이 집약되어 있으며, 시각과 청각 신경이 지나는 곳이다. 중간뇌는 눈의 운동과 눈동자의 크기를 조절하고, 대뇌가 중요한 일에 집중할 수 있게 도와주는 기능을 한다.

5) 다리뇌(교뇌)

중간뇌와 숨뇌 사이 뇌줄기에 존재해 앞쪽으로 돌출되어 있으며, 중간뇌와 숨뇌, 소뇌를 다리처럼 연결하는 역할을 한다.

다리뇌는 얼굴 신경이나 갓돌림 신경의 핵이 존재하는 곳이다. 중간뇌의 경우와 마찬가지로 올라가거나 내려가는 다양한 신경섬유의 통로로 소뇌와 대뇌 사이의 정보전달을 중계하며, 숨뇌와 함께 호흡 조절의 기능을 한다.

6) 숨뇌(연수)

숨뇌는 뇌줄기를 구성하는 하나의 부분으로 가장 아래 쪽에 위치한 부위로 위로는 다리뇌와 아래로는 척수, 뒤로는 소뇌와 맞닿아 있다. 숨뇌의 앞면 정중선을 중심으로 피라미드라는 융기부가 있고 운동을 담당하는 겉질 척수로 신경 다발의 대부분이 이 곳으로 지나간다.

숨뇌는 호흡과 심장박동 순환을 조절하며 침 분비, 하품, 재채기와 같은 무의식적인 활동을 일으킨다. 또한 숨뇌는 몸의 상태를 일정하게 유지하거나 소화 등을 조절하는 생명유지 기능을 담당한다.

2. 뇌의 발달 과정

뇌는 태어나면서부터 죽을 때까지 변하며, 인간의 정체성을 결정한다. 인간의 뇌는 24~25세에 완성되고 이후에는 점차 뇌세포가 죽어간다.

갓난아이의 뇌의 무게는 거의 400g정도이며, 1년 후에는 2배인 800g으로 증가하고, 4년 후에는 1,200g으로 증가한다. 만 6~7세에는 어른과 같은 크기로 성장한다.

인간의 뇌는 신경세포들로 구성되어 있다. 아기의 뇌 역시 장차 성인이 되어 갖게 될 신경세포들을 대부분을 이미 가지고 있다. 신경세포의 수에 있어서는 어른과 아이의 뇌는 대동소이하다. 따라서 뇌가 발달한다는 것은 신경세포가 늘어나는 것이 아니라, 신경세포를 연결하는 신경망이 더 촘촘해지고 서로 복잡하게 얽히는 것을 말한다.

소위 말하는 똑똑한 뇌, 높은 지능을 갖기 위해서는 신경망의 연결이 중요하다고 할 수 있다.

뇌의 발달과정은 시기적으로 단계가 있고 기능이 증가한다. 뇌의 발달과정을 보면 다음과 같다.

1) 태아기

태아기는 아기가 태어나기 전에 엄마 뱃속에 있는 동안을 말하는 것으로, 뇌의 기본적인 형태가 완성되는 시기다. 태아의 뇌는 왕성한 세포분열이 일어나 최종적으로 유지할 뉴런의 2배인 약 2천억 개의 신경세포를 생성하고, 뇌의 여러 부위로 이동한다.

태아기의 신경세포는 사고과정의 질뿐만 아니라, 개인의 기질, 재능, 약점 및 기발함을 결정하는 데 도움이 된다. 따라서 태아는 환경에 아주 민감하고, 어떤 자극을 받느냐에 따라 뇌의 성장 정도가 결정된다.

임신부가 알코올, 니코틴, 약물 및 전염병에 접하거나 지나친 산소 및 영양분 부족을 겪을 경우에 신경세포의 이동에 방해를 받게 되면 심각한 영아간질, 자폐증 또는 정신분열증이 나타날 수 있다.

또한 임신부가 지나친 스트레스를 겪을 경우에 일시적으로 태아에게 혈액공급이 중단될 수 있고, 그로 인해 태아의 뇌형성에 치명적인 영향을 줄 수 있다.

2) 0~2세

영아기는 뇌의 전반적인 부분이 발달하는 뇌의 기초공사가 이루어지는 시기로 시냅스(신경세포의 사이의 연결 부위)가 급속하게 증가한다. 이 시기에 생겨난 엄청난 양의 시냅스는 아이의 경험에 의해 선택적으로 발달하게 된다. 사용하지 않은 시냅스는 제거되고, 경험을 통해 자극을 받아 필요성을 인정받은 시냅스는 살아남아 각기 독특한 뇌 네트워크를 형성하게 된다.

신생아의 경우 뇌에서 감각 운동영역, 대상 피질, 시상, 뇌간, 소뇌, 해마의 활동이 활발해진다. 2~3개월 지나면 두정엽, 측두엽, 시각피질, 기저핵 등의 활동이 활발해진다. 6~12개월에는 전두엽의 활동이 활발해진다.

이 시기에는 점차 의도적인 동작을 시작하며, 청각계의 성장 및 발달, 시각력의 성장 완료, 평생 사용할 신경세포가 발달, 해마가 발달되어 경험한 내용을 기억하며 전두엽이 급속 성장한다.

신생아의 뇌는 적절한 자극에 의해 신경 시냅스 회로를 새로 만들고 강화한다. 이때 뇌를 어떤 환경에 두느냐에 따라서 뇌 회로가 치밀하게 될 수도 있고 엉성해질 수도 있는 것이다. 따라서 영아기에 뇌를 잘 발달시키면 영재나 수재로 키울 수 있지만, 아무리 좋은 뇌를 가진 아이도 내버려 두면 저능아가 될 수 있다.

3) 2~4세

이 시기는 전두엽과 변연계가 발달하는 시기로, 뇌 전체 회로망의 50%가 완성된다. 3세 이후부터는 새로운 경험이나 반복적인 경험을 통해 새로운 시냅스들이 생기기도 하고 사용하지 않는 시냅스들은 점차 제거되어 균형을 이루게 된다.

이 시기에는 종합적인 사고와 도덕성이 집중적으로 발달하게 된다. 또한 측두엽이 발달하면서 언어 사용이 점점 많아지며, 언어에 대한 이해가 높아진다. 전두엽이 성장하고 척수의 운동신경과 연결된다.

이 시기에 심리적 충격이나 학대, 애착 부족, 모성 우울증, 약물, 빈곤 등의 부정적인 경험을 하게 되면 인지능력뿐만 아니라 정서조절능력이 손상되어, 후에 스트레스를 받거나 자신의 욕구가 좌절되는 상황에서 공격성이나 폭력성을 나타낼 수도 있다.

4) 4~6세

이 시기는 비로소 인간다운 사고능력을 키우며, 정보전달과 처리시간이 빨라지는 시기이다. 이 시기는 인간의 고등 정신작용을 조절하는 전두엽의 신경회로망이 발달하게 되고, 뇌 전체 회로망의 90%가 완성된다.

이때부터 아이들은 지적 호기심이 강하게 되어 질문이 많아진다. 이 시기에는 아이 스스로 생각해서 답을 말할 수 있도록 해줌으로써 전전두엽이 잘 발달될 수 있도록 해야 한다.

유소년 시절의 뇌 속에서는 정상적 뇌를 만들기 위한 작업이 정열적으로 행해짐으로써 시냅스는 대량 사멸하게 된다. 즉, 불필요한 시냅스를 사멸시키는 한편, 필요한 시냅스를 탄생시키면서 뇌의 균형을 절묘하게 형성하고 있는 것이다.

5) 7~15세

7~12세까지는 좌우뇌가 통합 발달되면서 인간다운 사고능력이 급속히 발달하게 된다. 뇌 발달은 외부정보를 스스로 처리할 때 잘 발달된다. 외부에서 주입되는 주입식교육과 단순 반복 학습은 뇌 발달을 편향되게 만들고 신경회로망의 발달도 느리게 한다. 능동적으로 스스로 학습하는 뇌만이 제대로 신경 회로망을 발달시켜 뇌기능을 최적화시키게 된다.

7세 무렵부터는 공간지각력과 수리력을 담당하는 두정엽과 언어를 담당하는 측두엽의 시냅스가 활발하게 형성되기 시작한다. 두정엽이 발달하게 되면 수학과 과학을 비롯한 여러 종류의 새로운 학습이 가능해진다. 측두엽이 발달하게 되면 말하기, 듣기, 읽기, 쓰기와 같은 본격적인 한글 학습과 외국어 학습이 효과적으로 이루어진다.

3. 전두엽의 기능

1) 정의

전두엽(前頭葉)은 말 그대로 머리 앞부분이라는 뜻으로 이마엽이라고도 한다. 인간의 뇌는 모든 동물 중 전두엽의 비중이 가장 크며 대뇌피질 중에서 가장 최근에 진화된 부분이며, 다양한 고급 기능을 담당한다.

2) 기능

전두엽은 다른 뇌 부위들과 연결되어 주로 인간의 인지와 정서기능을 관여하고, 나머지 뇌 부위를 통제하는 기능을 수행한다.

전두엽의 신경세포들이 주로 하는 일은 기억력, 사고력 등을 주관하고 다른 감각기관으로 부터 들어오는 정보를 조정하고 행동을 조절한다.

3) 손상

전두엽 관리기능에 손상을 입게 되면 인지적 측면에서는 판단력, 인지적 유연성, 창의성, 계획성, 추상적 사고 등이 심한 감퇴를 보이고, 주의력 결핍 과잉행동장애 증상(ADHD)이 나타난다.

행동적 측면에서는 적응 행동에 매우 광범위하고 심각한 문제를 보인다. 그리고 정서와 성격에서 극적인 변화가 일어나 무공감, 충동 조절장애, 냉정하고 반성이 없는 폭력성이 나타날 수 있다.

4. 두정엽의 기능

1) 정의

두정엽(頭頂葉)은 머리(頭)의 정수리 부분(頂)이라는 의미로 뇌 중에서 가장 상층부에 있기 때문에 마루엽이라고도 한다.

2) 기능

두정엽은 신체를 움직이는 기능뿐 아니라 사고 및 인식 기능 중에서도 수학이나 물리학에서 필요한 입체·공간적 사고와 인식 기능, 계산 및 연상 기능 등을 수행하며, 외부로부터 들어오는 정보를 조합하는 역할을 한다.

특히 오른 쪽 두정엽은 공간을 파악하는 능력을 가지고 있으며. 공간에서 방향이나 위치를 파악하거나, 시계 바늘의 위치를 보고 시간을 파악하는 기능을 담당한다.

3) 손상

두정엽이 손상되면 위치나 방향 파악이 어렵고, 계산과 연산 기능이 떨어진다. 알츠하이머병에서는 이 두정엽 기능이 비교적 초기부터 저하되는 것으로 알려져 있다.

5. 측두엽의 기능

1) 정의

측두엽(側頭葉)은 양쪽 귀의 위쪽인 이른바 '관자놀이'라고 부르는 부위에 해당하는 영역을 말하기 때문에 관자엽이라고도 한다. 오른쪽 측두엽은 몸의 왼쪽을 통제하고, 왼쪽 측두엽은 몸의 오른쪽을 통제한다.

2) 기능

측두엽은 청각 정보와 후각 정보가 일차적으로 전달되는 영역이며, 기억력, 학습 능력, 언어 능력 등을 담당한다. 왼쪽 측두엽은 언어기억, 단어인식, 읽기, 언어, 감정 등을 담당하며, 오른쪽 측두엽은 음악, 안면인식, 사회질서, 물체인식 등을 담당한다.

3) 손상

측두엽에 손상을 입으면 언어에 대한 이해력이 급속하게 떨어진다. 알츠하이머병과 같은 질병에서는 이 측두엽 부위의 신경세포가 자꾸 죽어서 없어져 기억력이 떨어지고 언어 표현과 이해력이 점차 떨어져가게 되는 원인이 되기 때문에 치매와 밀접한 관계를 갖고 있는 부분이다.

6. 후두엽의 기능

1) 정의

후두엽(後頭葉)은 대뇌의 뒤통수 부분에 해당하는 부위에 해당하기 때문에 뒤통수엽이라고 한다. 후두엽은 대뇌에서 가장 작으며, 후두엽에서 처리된 시각정보는 두정엽과 측두엽 두 갈래의 경로로 나뉘어 전달된다.

2) 기능

후두엽은 주로 시각적인 내용을 파악하는 기능을 가지고 있어 눈에서 온 시각정보가 모여서 사물의 위치, 모양, 운동 상태를 분석하고 통합하는 역할을 수행한다. 우리가 사물을 보면서 주변의 물건들을 파악하는 것은 후두엽 때문이다.

3) 손상

후두엽에 문제가 생기면 물체를 봐도 눈에 아무런 이상이 없어도, 시각정보를 파악, 분석하지 못하는 시각적 인지 불능 상태가 오게 된다. 또한 친숙한 사람의 얼굴을 알아보지 못하기도 한다.

변연계(邊緣系)는 대뇌반구의 입구를 둘러싼 부분을 말한다. 변연계는 대뇌 피질과 신진대사와 관련된 호르몬을 조절하는 시상하부 사이에 위치한다. 학자 에 따라 조금씩 다르지만 대개변연 피질과 해마, 편도체 등을 포함한다.

전전두엽
피질

시상하부

뇌하수체

편도체

뇌간

소뇌

해마

[5-3] 변연계의 구조

• 전전두엽 피질

전전두엽은 대뇌피질과 변연계를 상호 연결하며, 외부자극에서 생존에 대한 유익한 자극에 주의를 집중할 수 있도록 한다.

- 변연 피질

변연계를 구성하는 피질로서, 대상 피질이 하나의 주요 요소다. 주로 감정을 정교화하는 기능과 연관되는 기능을 수행한다.

- 해마

해마는 바다에 사는 해마처럼 생겨서 붙여진 이름이다. 새로운 정보가 들어올 때마다 이를 처리하며, 그 가운데 보관할 정보와 폐기할 정보를 분류하는 기능을 수행한다.

- 편도체

변연계에서 좌반구와 우반구에 하나씩 존재한다. 주로 감정을 조절하는 기능을 수행한다.

2) 기능

변연계는 일련의 구조물들을 가리키며 주로 감정, 행동, 욕망 등의 조절에 기여 하며 특히 기억에 중요한 역할을 한다. 그리고 수면과 식사하는 주기를 통제하며 기억과 학습에 관여한다. 또한 동기화를 조절하며 후각과도 연관되어 있다.

3) 손상

해마는 알츠하이머병에 의해 점진적으로 위축이 진행되는 것으로 알려져 있으며, 이로 인해 환자는 질병 초기에 최근 기억의 장애가 발생한다고 알려져 있다.

제6장 치매관련 복지제도

1. 치매 국가 책임제

　정부는 2017년 7월 치매 국가 책임제 공약을 발표하였다. 치매 국가 책임제는 문재인 대통령의 대표적인 공약 중 하나로서 급증하는 치매환자의 증가에 따라 이를 개인의 부담으로 돌리기보다 국가가 앞장서서 국가 돌봄 차원으로 격상하여 해결하겠다는 의지를 보인 정책이다.

　치매 국가 책임제는 치매 예방, 조기 발견, 지속적 치료 및 관리 등을 통해 치매로 인한 사회적, 경제적 비용을 절감하자는 취지로 추진되고 있다. 이를 위해서 구체적으로 치매지원센터 지원, 치매 안심병원설립, 치매의료비 부담완화, 전문 요양사 파견제 도입 등을 확충하는 것으로 되어 있다.

　치매 국가책임제 공약 이행의 일환으로, 2018년부터 본격적인 치매 국가책임제의 시행을 위해 총 2023억 원 규모의 추경예산을 통해 전국 치매안심센터와 치매안심병원을 확충하기로 했다.

　2023억 원의 치매 예산은 구체적으로 치매안심센터를 252개소로 확대하는데 1230억 원, 치매안심센터의 1개월 운영비 188억 원, 전국 공립요양병원에 치매전문병동 확충에 605억 원이 편성되었다.

2. 치매 노인 공공후견제

치매관리법에 따라 모든 지자체는 치매 노인 공공후견제를 실시해야 한다. 노인 공공후견제는 전문직에서 퇴직한 노인이 치매를 앓고 있는 저소득층 노인의 후견인 역할을 맡는 방식으로 추진하는 전문직 은퇴자들을 활용하는 서비스를 말한다. 노인 공공후견제는 치매·독거노인에 대한 지원과 노인 일자리 창출이라는 목적을 가지고 실시하는 제도이다.

치매 노인 공공후견제는 치매 국가책임제의 일환으로 정신적 제약으로 의사결정이 어렵고 금융 사기 등 범죄에 취약한 치매 노인의 결정권을 보호한다는 취지다. 그래서 중증 치매를 앓으면서 보호자가 없이 혼자 사는 기초생활수급자 등에게 공공 후견 서비스를 제공한다. 대상자는 전국 4400명 정도로 추정된다.

먼저 각 지자체에 있는 독거 노인 종합지원센터와 치매안심센터가 함께 대상자들을 찾게 된다. 찾아가는 치매 서비스와 검진, 독거 노인 안부 확인 등을 활용한다. 여기서 확인된 저소득 치매 노인의 재산관리를 돕고 수술 등 중요한 의료행위를 동의하는 등의 후견인은 전문직에서 퇴직한 노인을 활용한다.

치매 노인 공공후견제는 복지부 산하 중앙치매센터가 사업을 지원하는 역할을 맡는다. 지자체가 법원에 후견 심판을 청구할 때 심판청구서 작성을 돕고, 후견인에게 법률 자문을 해주게 된다. 각 지자체는 사업 시행 주체로서 이러한 절차를 총괄 관리한다.

3. 노인 장기요양보험제도

우리나라는 이미 2000년에 고령화 사회(aging society)로 진입하였고, 이후 세계에서 유례가 없을 정도로 빠른 속도로 고령사회(aged society)를 향해서 치닫고 있다. 이러한 급격한 고령화에 따라 치매나 중풍 등 일상생활이 어려운 노인의 수도 날로 증가하고 있다.

그럼에도 불구하고 장기요양이 필요한 노인을 집에서 돌보기 어려운 것이 지금의 실정이다. 노인의 장기요양 문제는 가정에서 부담해야 하는 비용이 과중하기 때문에 우리가 시급히 해결해야 할 심각한 사회적 문제이자 국가적인 문제이기도 하다. 이와 같은 노인의 간병·장기요양 문제를 해결하고자 사회적 연대원리에 따라 정부와 사회가 공동으로 해결하는 사회보험 방식으로 노인 장기요양보험 제도를 도입하였다. 노인 장기요양보험 제도는 2007년 4월 노인 장기요양보험법이 제정되어 2008년 7월부터 시행되었다.

1) 노인 장기요양보험 제도의 개념

노인 장기요양보험 제도는 고령화 사회로 급속하게 진전함에 따라 요양보호가 필요한 노인의 생활 자립을 지원함으로써 가족의 부담을 줄여주고, 늘어나는 노인요양비와 의료비 문제에 적절하게 대처하고자 도입된 공적 제도다.

노인 장기요양보험 제도는 고령이나 노인성 질병 등으로 다른 사람의 도움을 받지 않고서는 생활하기 어려운 노인에게 신체활동 또는 가사지원 등의 장기요양급여를 사회적 연대원리에 의해 제공하는 사회보험제도다.

2) 장기요양신청 대상

장기요양신청 대상은 스스로 일상생활이 곤란한 65세 이상 노인과 치매, 뇌

혈관성 질환, 파킨슨병 등 노인성 질환을 가진 65세 미만자이다. 신청접수는 국민보험공단 지사에 설치된 장기요양보험 운영센터와 시군구 읍·면·동 주민센터에서 할 수 있다.

<표 6-1> 장기요양 인정점수 산정을 위한 영역별 심신 상태를 나타내는 52개 항목

영 역	항 목		
신체기능 (기본적 일상생활기능) (12항목)	·옷 벗고 입기 ·세수하기 ·양치질하기 ·목욕하기	·식사하기 ·체위변경하기 ·일어나 앉기 ·옮겨 앉기	·방 밖으로 나오기 ·화장실 사용하기 ·대변 조절하기 ·소변 조절하기
인지기능 (7항목)	·단기 기억장애 ·날짜불인지 ·장소불인지 ·나이·생년월일 불인지	·지시불인지 ·상황 판단력 감퇴 ·의사소통·전달 장애	
행동변화 (14항목)	·망상 ·환각, 환청 ·슬픈 상태, 울기도 함 ·불규칙수면, 주야혼돈 ·도움에 저항	·서성거림, 안절부절못함 ·길을 잃음 ·폭언, 위협행동 ·밖으로 나가려함 ·물건 망가트리기	·의미없거나 부적절한 행동 ·돈·물건 감추기 ·부적절한 옷입기 ·대소변불결행위
간호처치 (9항목)	·기관지 절개관 간호 ·흡인 ·산소요법	·욕창간호 ·경관 영양 ·암성통증간호	·도뇨관리 ·장루간호 ·투석간호
재활 (10항목)	운동장애(4항목)	관절제한(6항목)	
	·우측상지 ·우측하지 ·좌측상지 ·좌측하지	·어깨관절, 팔꿈치관절, 손목 및 수지관절, 고관절, 무릎관절, 발목관절	

신청인의 심신 상태를 조사하여 '장기요양 인정점수'를 산정해 등급을 판정하며, 요양 1~5등급으로 판정받을 경우 장기요양급여 서비스를 이용할 수 있다.

<표 6-2> 노인 장기요양보험 등급판정 기준

등급	심신 기능 상태
1	일상생활에서 전적으로 다른 사람의 도움이 필요한 상태(95점 이상)
2	일상생활에서 상당 부문 다른 사람의 도움이 필요한 상태(75점 이상 95점 미만)
3	일상생활에서 부분적으로 다른 사람의 도움이 필요한 상태(60점 이상 75점 미만)
4	일상생활에서 일정부분 다른 사람의 도움이 필요한 상태(51점 이상 60점 미만)
5	치매환자(45점 이상 51점 미만)

3) 장기요양 급여

장기요양 급여는 6개월 이상 혼자서 일상생활을 수행하기 어렵다고 인정되는 자에게 신체활동, 가사활동의 지원 또는 간병 등의 서비스나 이에 갈음하여 지급하는 현금 등을 의미한다.

장기요양 급여는 재가급여, 시설급여, 특별현금급여로 나뉜다.

<표 6-3> 장기요양 급여

구분	내용
시설급여	노인 요양시설 및 노인 요양공동생활가정 등에 장기간 동안 입소하여 신체활동 지원 및 심신기능의 유지, 향상을 위한 교육, 훈련 등을 제공하는 장기요양급여
재가급여	방문요양, 방문목욕, 방문간호, 주·야간보호, 단기보호, 복지용구 등 가정을 방문하여 신체활동, 가사활동, 간호 등의 서비스를 제공하거나 주·야간보호시설이나 단기보호시설에서 신체활동 지원 등의 서비스를 제공하는 장기요양급여
특별현금급여 (가족요양비)	도서·벽지 등 방문요양기관이 현저히 부족한 지역에 거주하거나, 천재지변이나 그 밖에 이와 유사한 사유로 인하여 장기요양기관에서 장기요양급여를 이용하기 어려운자, 신체 정신 또는 성격 등 대통령령으로 정하는 사유로 인하여 가족 등으로부터 장기요양을 받아야 하는 수급자에게 현금으로 지급하는 제도

2014년 의료보험관리공단 부담금 3조 830억 원 중 재가급여는 1조 4,864억 원으로 전체대비 점유율이 48.2%이었고, 시설급여는 1조 5,966억 원이었다. 세부유형별로 나누어 보면, 재가급여는 방문요양이 79.0%를 점유하여 가장 높았고, 시설급여는 노인요양시설이 85.6%를 점유하였다.

<표 6-4> 장기요양 급여 현황　　　　　　　　　（단위 : 억원, %）

구 분	2009		2011		2013	
	급여비	비율	급여비	비율	급여비	비율
장기요양 공단부담금 계	17,369	–	25,882	–	30,830	–
재가급여	9,856	100.0	13,704	100.0	14,864	100.0
-방문요양	7,334	74.4	11,415	83.3	11,736	79.0
-방문목욕	406	4.1	712	5.2	736	4.9
-방문간호	62	0.6	58	0.4	73	0.5
-주야간보호	618	6.3	837	6.1	1,279	8.6
-단기보호	843	8.6	67	0.5	150	1
-복지용구	592	6.0	614	4.5	891	6
시설급여	7,513	100.0	12,178	100.0	15,966	100.0
-노인요양시설(현행법)	2,118	28.2	5,646	46.4	12,626	79.1
-노인요양시설(구법)	1,569	20.9	1,139	9.3	225	1.4
-노인전문요양시설(구법)	3,403	45.3	3,111	25.5	811	5.1
-노인요양공동생활가정	424	5.6	1,268	10.4	2,057	12.9
-노인요양시설(단기보호전환)	–	–	1,014	8.3	246	1.5

출처 : 2014년 국민건강보험 보도자료

4) 장기요양보험제도에서 제공되는 보건의료서비스와 복지서비스

　장기요양보험제도에서 담당하고 있는 보건의료서비스는 단기간의 의료서비스는 제외되고, 일상적이고 장기간에 걸쳐 제공되는 서비스에 한정되는 경향이 있다. 보건의료서비스의 범위는 의사, 간호사 및 재활치료사 등 의료 인력에

의해서 제공되는 의료· 간호·재활서비스 및 보건교육, 건강증진 프로그램 까지를 포함한다.

여기에서 수발대상자는 한 가지 이상의 만성질환을 갖고 있기 때문에 정기적인 질병관리나 건강교육 및 건강유지 프로그램, 요양지도가 필요하게 되는데, 그 소요비용의 부담이 문제가 된다.

한편 복지서비스는 서비스의 제공뿐만 아니라 욕구의 사정, 상담, 평가 및 계획에 이르는 모든 행위를 포괄하고 있는데, 수발과 관련한 복지서비스는 신체적 간병수발서비스 및 집안 청소, 식사준비, 세탁, 물건구입과 같은 가사 지원서비스 등 가사활동에 필요한 서비스가 해당된다.

5) 재원 마련

노인 장기급여 요양보험에 필요한 재원은 건강보험 가입자의 보험료와 정부, 본인 부담금 등으로 충당한다. 본인 부담금은 재가급여의 경우 당해 장기요양급여비용의 15%, 시설급여의 경우 당해 장기요양급여비용의 20%이다.

4. 주간보호소

　주간보호소는 어린이집에서 낮 동안에 아이를 맡아 돌보아주는 것처럼 낮 동안 노인을 돌보아주는 곳이다.
　주간보호소는 주간보호센터, 데이케어센터(Day Care Center, Day Service Center)라고도 한다. 데이케어센터를 우리나라 말로 바꾸면 주간보호, 일시보호, 단기보호, 탁로소 등에 해당된다.

1) 주간보호소의 개념
　주간보호소는 낮 동안 노인에게 가족 대신 보호서비스를 제공하는 기관을 말하는데, 평소 집에서 돌봐주는 가족이 직장에 나가 일하는 동안이나 돌봐줄 사람이 없는 상태에서 외출을 할 때 노인을 맡길 수 있는 곳이다.

　주간보호소의 목적은 주로 만성질환이나 기능장애로 거동이 불편한 노인이 낮 동안 지역사회 시설을 이용하여 일상생활에 필요한 서비스를 제공받으면서 부양가족의 경제적·신체적·심리적 부담을 경감시켜주는 데 있다.

　주간보호소에 치매환자를 맡기고 필요에 따라 급식, 상담, 투약, 여가활동, 재활치료, 건강교육 등의 서비스를 이용할 수 있다. 기관에 따라 주야간 전부 맡길 수 있는 주야간보호센터도 있다.

2) 주간보호소의 종류
　노인 주간보호소는 지역사회의 수용시설(양로원, 요양원 등)이나 이용시설(노인복지회관, 사회복지관, 교회 등), 병원, 또는 독립시설 등 현재 전국에

2186곳이 있다.

주간보호소의 이용료는 실비 수준으로 받으며, 주간보호시설은 1일(낮 동안 보호)로 규정하고 있는데 평일에는 오전 7시 30분부터 오후 7시 30분까지, 토요일에는 오전 7시 30분부터 오후 3시 30분까지 이용할 수 있다.

기관에 따라 오후 10시까지나 주야간 이용할 수도 있으며, 자신의 처지에 맞는 선택이 가능하다.

인터넷으로 거주지 가까운 곳에 있는 주간보호소를 검색할 수 있고, 주간보호소에서 대부분 차로 노인을 모셔가기 때문에 걱정하지 않아도 된다.

3) 이용대상
- 일상생활 수행능력(Activities of Daily Living; ADL)에 지장이 있는 자
- 노인성 질환이나 노화로 심신의 장애가 있는 자
- 일반 질환으로 일시적인 일상생활 서비스가 필요한 자
- 독거노인으로 낮 동안 주간보호 서비스가 필요한 자
- 기타 복지시설장이 주간보호 서비스가 필요하다고 인정한 자

4) 서비스 내용
- 생활지도 및 일상동작훈련 등 심신의 기능회복 및 강화를 위한 서비스
- 급식 및 목욕 서비스
- 취미, 오락, 운동 등 여가생활 서비스
- 지역사회 복지자원 발굴 및 네트워크 구축에 관한 사항
- 지역사회 자원봉사자 등 인적 자원 발굴 사업
- 이용 노인 가족에 대한 상담 및 교육 등

5) 실비 이용자의 이용범위
- 기초생활수급 노인을 우선적으로 보호하되, 시설에 여유 공간이 있고 우선

순위 대기자가 없는 경우에는 실비 이용자를 이용 정원까지 수용 가능하다.

•	만일 정원이 충족된 시설에 기초생활 수급 노인이 입소를 신청한 경우 기존 실비 입소 노인 중에서 이용 기간, 건강 상태, 소득 등 보호의 필요성을 고려해 퇴소 대상자를 결정해야 한다. 이 경우에도 퇴소에 필요한 충분한 기간을 보장해야 한다. 단 퇴소 준비기간은 최장 3개월을 초과할 수 없다.

•	시설장은 실비 이용자와 계약할 때 이러한 규정을 충분히 설명해야 한다.

6) 이용비용

• 65세 이상의 국민기초생활보호대상자 노인 무료
• 65세 이상의 저소득 노인 실비 부담
• 서비스 내용과 식비 등을 고려하여 실비징수가 가능
• 이용료는 1인당 4000~5000원(특별서비스의 경우: 1회당 1500원 추가)

5. 단기 보호시설

　단기 보호시설은 부득이한 사유로 가족의 보호를 받을 수 없어 일시적으로 보호가 필요한 심신이 허약한 노인과 장애노인을 시설에 3개월 이하의 단기간만 입소시켜 보호하고 필요한 각종 서비스를 제공하는 기관을 말한다.
　현재 단기 보호시설은 복지재단, 노인복지관, 주간보호센터, 노인복지센터 등 현재 전국 258곳에서 운영하고 있다.

1) 보호기간

　보호 기간은 1회 45일, 연간 이용일수는 3개월을 초과할 수 없다. 시설장은 시설 이용신청 시 3개월의 이용제한으로 인해 노인에게 발생할 수 있는 환경적 응상의 문제 등을 충분히 고지하고, 장기간의 이용이 예측될 경우 장기요양시설을 이용하도록 하여 노인의 건강에 피해가 생기지 않도록 하여야 한다.

2) 이용대상
- 일상생활 수행능력(Activities of Daily Living; ADL)에 지장이 있는 자
- 노인성 질환이나 노화로 심신의 장애가 있는 자
- 일반 질환으로 일시적인 일상생활 서비스가 요하는 자
- 독거 노인으로 낮 동안 주간 보호 서비스가 필요한 자
- 기타 복지시설장이 주간 보호 서비스가 필요하다고 인정한 자

3) 서비스 내용
- 생활지도 및 일상 동작훈련 등 심신의 기능회복 및 강화를 위한 서비스
- 급식 및 목욕 서비스

- 취미, 오락, 운동 등 여가생활 서비스
- 지역사회 복지자원 발굴 및 네트워크 구축에 관한 사항
- 지역사회 자원봉사자 등 인적 자원 발굴 사업
- 이용 노인 가족에 대한 상담 및 교육 등

4) 실비 이용자의 이용범위

- 기초생활수급 노인을 우선적으로 보호하되, 시설에 여유 공간이 있고 우선순위 대기자가 없는 경우에는 실비 이용자를 이용 정원까지 수용 가능하다.
- 만일 정원이 충족된 시설에 기초생활 수급 노인이 입소를 신청한 경우 기존 실비 입소 노인 중에서 이용기간, 건강 상태, 소득 등 보호의 필요성을 고려해 퇴소 대상자를 결정해야 한다. 이 경우에도 퇴소에 필요한 충분한 기간을 보장해야 한다. 단 퇴소 준비 기간은 최장 3개월을 초과할 수 없다.
- 시설장은 실비 이용자와 계약할 때 이러한 규정을 충분히 설명해야 한다.

5) 이용비용

- 65세 이상의 국민기초생활보호대상자 노인 무료
- 65세 이상의 저소득 노인 실비 부담
- 서비스 내용과 식비 등을 고려하여 실비징수가 가능
- 1일 기준 8000원(기관에 따라 13,000~14,000원)

6. 노인 장기요양

　노인 장기요양은 2005년 9월 정부가 고령화 사회에 대비하기 위해 2000년 부터 노인 장기요양을 정책 과제로 검토하였다. 이를 위하여 정부에서는 노인 수발 보험법, 노인수발 보장법안 등을 만들어 법안통과를 하고자 하였다.

　법안통과를 위해 국회에서 논의하고 심의하는 과정에서 수발이라는 용어를 '장기요양'으로 변경시켜, 2007년 4월에 '노인 장기요양 보험법'이 통과되면서 사용되었다.

　노인 장기요양 보험법이 만들어진 이후 사회적 취약계층에 한정되어 있던 대 상자가 장기요양 필요도에 따라 서비스 대상자가 확대되면서 요양서비스 이용 자 수도 급증했다.

　이와 더불어 '요양보호서비스'란 개념을 제시하며 돌봄 기능을 의료 부분의 간호서비스와 연계하여 제공할 수 있도록 제도가 설계되었다. 돌봄의 대명사로 제시되었던 복지서비스에 건강관리 및 간호 처치, 돌봄에 초점을 맞춘 보건의 료서비스가 제공되는 체계를 갖추었다.

　노인 장기요양기관은 노인을 돌볼 가족이 없거나, 치매환자가 심한 행동장애 를 보이거나 완전히 누워 있어 가족의 간호에 한계가 생길 때 유용하게 사용하 는 시설이다.

　노인 장기요양서비스를 제공하는 시설에는 노인복지법에 명시된 재가노인복 지시설과 노인의료복지시설, 그리고 노인 장기요양보험법에 명시된 재가 장기 요양기관의 일종인 방문간호서비스기관이 있는데, 이를 노인 장기요양보험법 에서는 모두 장기요양기관으로 지칭하고 있다.

노인 장기요양기관은 요양원, 요양병원, 요양센터, 노인복지센터, 재활요양병원, 노인병원 등 다양한 기관에서 운영하고 있다.

장기요양기관은 무료, 유료, 실비 등으로 구분되며, 무료시설은 대개 생활보호 대상자로 한정되어 있어서 일반인이 이용하기는 어렵다. 장기요양기관은 많은 가족이 꺼리지만 시설에서 전문적인 돌봄을 받으면 가정보다 노인의 상태가 좋아지는 경우도 있다.

7. 중앙치매센터와 치매안심센터

정부는 2008년 9월 '치매와의 전쟁'을 선포한 후 국회는 2011년 8월 '치매관리법'을 제정하여 치매를 안정적이고 효율적으로 관리해나갈 수 있는 기반을 마련했다.

치매 진료의 전문화, 연구·개발, 치매 서비스의 질 관리 등을 추진하고, 전국 규모의 체계적이고 표준화된 치매 사업의 확대를 위하여 중앙 단위의 컨트롤타워가 필요하였다.

이에 보건복지부는 2012년 2월 발효된 '치매관리법'에 따라 2012년 5월 분당 서울대학교병원을 '치매와의 전쟁'의 컨트롤타워 역할을 수행할 수 있는 '중앙치매센터'로 지정했다.

중앙치매센터에는 전문교수, 간호사, 사회복지사, 임상심리사, 작업치료사 등의 전담직원이 치매예방과 조기발견 및 치료방법 연구, 치매관계자 관리 및 교육을 실시하여 치매환자와 치매환자와 가족의 행복증진에 기여하고 치매 인식개선을 위해 노력하고 있다.

1) 시설기준
• 사업수행을 위하여 필요한 사무실, 회의실, 교육·세미나실 등을 마련해야 한다.
• 위탁 운영의 경우에는 위탁받은 기관의 기존 시설 활용이 가능하다.
• 위탁받은 기관 내 설치를 원칙으로 하되, 부득이한 경우 주무 부처와 협의하여 기관 밖에 설치가 가능하다.

2) 직제기준

- 센터장, 부센터장을 두고 연구, 교육·홍보, 협력사업 등 팀을 구성·운영해야 한다.

3) 인력기준

- 배치기준 : 센터장 1인, 부센터장 1인, 팀장 각 1인 및 팀원 15인 내외를 배치해야 한다.
- 센터장은 위탁받은 기관의 직위와 겸직이 가능하나 주 2일(16시간) 이상 근무할 수 있어야 한다.
- 센터장은 다음 ①~⑤의 어느 하나에 해당하면서, 보건복지 분야 석사학위 이상 소지자 중 노인 관련 보건복지 분야 7년 이상 근무 경력자이어야 한다.
  ① 「의료법」에 따른 의료인
  ② 「사회복지사업법」에 따른 사회복지사
  ③ 「정신보건법」에 따른 정신보건전문요원
  ④ 5급 이상 공무원으로서 국가 또는 지방자치단체에서 보건복지 사업에 관한 행정업무에 5년 이상 종사한 경력이 있는 사람
  ⑤ 상기 4가지 중 어느 하나에 준하는 자격을 소지한 사람
- 부센터장은 상기 ①~⑤의 어느 하나에 해당하면서, 보건복지 분야 석사학위 이상 소지자 중 노인 관련 보건복지 분야 5년 이상 경력자이어야 한다.
- 팀장은 업무수행에 필요한 석사학위 이상 소지자 중 노인 관련 보건복지 분야 3년 이상 경력자이어야 한다.

4) 역할

- 광역치매센터 업무의 총괄·조정 및 기술 제공, 원활한 협조체계 구축 등

을 지원해야 한다.

• 업무수행의 효율성 제고에 필요한 사항에 대하여 광역치매센터와 반기별로 회의를 개최, 의견을 수렴하고 그 결과를 사업운영에 반영해야 한다.

• 조직, 인사, 급여, 그 밖에 운영에 필요한 규정을 두고 이에 따라 센터를 운영하며, 다음의 기록 및 서류를 갖추어야 한다.

① 기관의 연혁, 운영 및 인사에 관한 기록

② 재산 목록과 그 소유권 또는 사용권에 관하여 확인할 수 있는 서류

③ 최근 3년 동안의 업무수행에 관한 자료

• 사업계획 및 실적, 예산·결산 및 조직운영 현황 등에 관한 자료를 반기별로 보건복지부에 보고

5) 주요업무

• 치매 연구사업에 대한 국내외의 추세 및 수요 예측
• 치매 연구사업 계획의 작성
• 치매 연구사업 과제의 공모·심의 및 선정
• 치매 연구사업 결과의 평가 및 활용
• 치매환자의 진료
• 재가 치매환자 관리 사업에 관련된 교육·훈련 및 지원 업무
• 치매 관리에 관한 홍보
• 치매와 관련된 정보·통계의 수집·분석 및 제공
• 치매와 관련된 국내외 협력
• 치매의 예방·진단 및 치료 등에 관한 신기술의 개발 및 보급

6) 치매관리 전달체계

• 중앙치매센터 : 분당 서울대학교병원

● 권역치매센터 : 지방 국립대병원에 설치된 노인보건의료센터에 개설

● 치매안심센터 : 전국 보건소의 치매상담실 및 사무실 등을 활용하여 치매 관리사업의 실무적인 일을 수행한다.

－ 치매안심센터에 따라 업무의 차이는 있지만 일반적으로 대부분의 치매안 심센터에서는 60세 이상 시민에게 치매선별검사를 무료로 실시한다.

－ 치매 고위험군에 대하여는 진단검사, 감별검사를 협력 병의원에 의뢰하여 조기질환 발견 및 치료를 관리하고 있다.

－ 치매환자치료비 지원 대상자에 대하여는 월 3만원 이내의 약제비를 지원 하여 경제적 부담을 경감하고, 치매재활 프로그램을 통하여 인지능력을 향상시 켜 증상완화 및 가족에게 치매환자 간병과 관련한 교육을 실시하여 환자를 이 해하고 소통하는 장을 마련한다.

● 거점병원 : 공립요양병원 중 예산을 지원받아 치매인지 재활 서비스 등을 제공하면서 치매 임상 기능의 질 제고를 도모하는 병원

8. 치매상담 콜센터

치매상담 콜센터는 치매환자나 그 가족, 전문 케어제공자, 치매에 대해 궁금한 일반인은 누구나 이용할 수 있으며, 전국 어디서나 국번 없이 '1899-9988'로 전화하면 24시간, 365일 연중무휴로 이용할 수 있다.

전화번호인 '1899-9988'은 '18세 기억 99세까지, 99세까지 88하게 살라'는 의미다.

1) 시설기준
• 상담 받는 사람의 신분, 사생활 및 상담내용 등 노출 방지를 위한 칸막이, 효과적인 상담·교육 프로그램 등 운영을 위한 장비(녹취기, 카메라 등) 등 상담 수행을 위한 적합한 공간과 설비를 갖추어야 한다.
• 위탁받은 기관 내 설치를 원칙으로 하되, 부득이한 경우 주무부처와 협의하여 기관 밖에 설치 가능하다.

2) 인력기준
• 배치기준은 센터장 1인, 상담팀장 1인, 전문·일반상담원 및 사무보조원을 두어야 한다.
• 센터장은 위탁받은 기관의 직위와 겸직이 가능하나 주 2일(16시간) 이상 근무해야 한다.

3) 자격기준
• 센터장, 상담팀장, 전문·일반상담원 및 사무보조원은 아래 기준을 충족해야 한다.

• 센터장은 다음 ① ~④의 어느 하나에 해당하면서, 노인 관련 보건복지 분야에서 7년 이상 경력자이어야 한다.

① 「의료법」에 따른 의료인
② 「사회복지사업법」에 따른 사회복지사
③ 「정신보건법」에 따른 정신보건전문요원
④ 이에 준하는 자격을 소지한 사람

• 상담팀장은 상기 ① ~④의 어느 하나에 해당하면서, 노인 관련 보건복지 분야에서 5년 이상 경력자이어야 한다.
• 전문상담원은 상기 ① ~④의 어느 하나에 해당하면서, 노인 관련 보건복지 분야에서 3년 이상 경력자이어야 한다.
• 일반상담원은 상기 ① ~④의 어느 하나에 해당하면서, 노인 관련 보건복지 분야에서 1년 이상 경력자이어야 한다.
• 사무보조원은 고졸 또는 동등 학력 이상 소지자로 해당 분야 경력자이어야 한다.

4) 역할
• 치매환자와 가족에 대한 전화 상담을 실시하고, 동의를 받아 지속적인 사례관리와 자원연계 등을 지원하여야 한다.
• 월별로 상담실적을 정리하고 치매환자와 가족의 주요 정책제안 및 제도 개선사항에 대한 요구를 수집하여 보고하여야 한다.
• 상담원 채용 시 치매 전문상담 능력 향상을 위하여 2개월 범위에서 이론 및 실습 교육을 이수하는 수습기간을 둘 수 있다.
• 조직, 인사, 급여, 그 밖에 운영에 필요한 규정을 두고 이에 따라 센터를 운영하며, 다음의 기록 및 서류를 갖추어야 한다.

－ 기관의 연혁, 운영 및 인사에 관한 기록
－ 재산 목록과 그 소유권 또는 사용권에 관하여 확인할 수 있는 서류
－ 최근 3년 동안의 업무수행에 관한 자료
● 사업계획 및 실적, 예산·결산 및 조직운영 현황 등에 관한 자료를 반기별로 보건복지부에 보고하여야 한다.

5) 주요업무

● 치매에 관한 정보제공
● 치매환자의 치료·보호 및 관리에 관한 정보제공
● 치매환자와 그 가족의 지원에 관한 정보제공
● 치매환자의 가족에 대한 심리적 상담
● 그 밖에 보건복지부장관이 필요하다고 인정하는 치매 관련 정보의 제공 및 상담

9. 기타

1) 가정간호

가정간호는 치매환자의 지속적인 치료 및 관리가 필요한 경우 가정전문간호사가 담당의사와 치료계획을 세운 후 환자가 거주한 장소를 방문하여 처방한 내용을 제공하는 서비스를 말한다.

우리나라 가정간호사업장은 현재 대부분 병원에 설치되어 있는데, 대개 한 시간 정도 방문하여 환자를 직접 간호하거나 환자가족에게 교육을 한다. 치매 말기에 오랫동안 누워 있는 경우에 욕창관리나 식이관리 등에 대해 가정간호사로부터 큰 도움을 받을 수 있다.

2) 서적과 인터넷, 치매 가족을 통한 정보 획득

치매환자를 돌보는 가족은 치매치료법과 간호방법을 배워야 한다. 치매에 대한 지식 없이 치매환자를 돌보면 자신이나 치매환자 모두에게 어렵다. 치매에 대한 지식은 서적이나 인터넷 홈페이지 외에도 많은 치매 가족의 카페에서 많은 정보를 얻을 수 있다.

3) 노인용품 구매

인터넷 홈페이지에서 치매환자를 위한 간호용품들을 판매하고 있기 때문에 쉽게 물건을 구입할 수 있다. 간호용품을 구매할 때는 먼저 치매환자를 돌보고 있는 다른 가족을 통해 충분한 정보를 얻어서 구매하는 것이 좋다.

제7장 치매예방을 위한 인지치료

1. 치매예방을 위한 인지치료

노화 과정에서 초래되는 가장 심각한 문제는 인지기능의 감소다. 인지(cognition)란 뇌에서 정보를 받아들이고 생각하고 목적에 맞게 행동하는 통합적인 기능을 이르는 말이다.

주요 영역은 주의, 기억, 언어, 실행, 시지각이며 그 외에 정서, 계산 등의 별도 영역으로 구분된다. 노인의 인지기능은 연령의 증가에 따라 뇌기능과 기억력이 점진적으로 감소되어 60대에는 25%가 가벼운 정도의 인지장애를 보이다가 70대에는 현저하게 저하되기 시작하여 80대 이상에서는 약 54.6%가 중증의 인지장애를 보인다.

인지기능 저하는 기억력, 지남력, 판단력, 이해 및 집중력 등이 떨어져 새로운 정보를 학습할 능력이 감소되고, 최근의 일도 잘 기억하지 못하고 점차 질병이 진행되면 과거의 기억조차 잊게 되면서 지남력과 판단력 장애가 심하게 나타난다. 결국 치매를 예방하고 인지기능을 유지하기 위해서 인지요법이 널리 활용되고 있다.

인지치료란 환경으로부터 감각정보를 평가하고 지각하는 능력을 길러주고, 환경 내에서 목적 활동을 이해하고 계획·수행하는 능력을 길러주는 인지훈련 활동을 말한다.

과거에 인간의 뇌는 어느 정도 나이를 먹으면 변화할 수 없다는 생각이 지배적이었다. 하지만 최근 과학기술과 뇌 연구의 발달로 '뇌는 변할 수 있다'는 증거가 속속 나타나고 있다.

인간의 뇌는 가소성(plasticity)을 지니고 있기 때문에 특정 영역이 손상되더라도 다른 영역에서 이러한 기능을 담당하거나, 특정한 활동을 오랫동안 반복하거나 학습했을 때 뇌의 변화가 가능하다는 것이다.

<표 7-1> 인지기능

구 분	내 용
지남력	사람, 장소, 시간을 파악하는 개인의 지각능력
집중력	어떤 일을 할 때 상관없는 주변 소음이나 자극에 방해받지 않고 몰두하는 능력
지각력	외부의 자극을 정확하게 인지하는 능력
기억력	일상에서 얻어지는 인상을 머릿속에 저장하였다가 다시 떠올리는 능력
판단력	사물을 올바르게 인식·평가하는 사고의 능력
언어력	자신의 생각이나 감정을 표현하고, 다른 사람의 말을 이해하여 의사를 소통하기 위한 소리나 문자 따위를 사용하는 능력
시공간력	사물의 크기, 공간적 성격을 인지하는 능력
계산능력	물건 또는 값의 크기를 비교하거나 주어진 수의 연산의 법칙에 따라 처리하여 수치를 구하는 능력

인지치료는 노인에게 나타나는 인지기능 저하를 치료하고 보존 및 향상을 위해 특별히 만들어진 의사소통 중심의 접근법이다. 뇌과학자들은 뇌에 지속적으로 적절한 자극을 제공하여 치매환자의 남아 있는 인지기능의 보존 및 향상이 가능하다고 보고 있다.

비록 치매가 심해진 상태의 인지기능을 되돌릴 수는 없지만 인지기능의 잔존능력을 보존하고 독립적인 기능을 최대한 유지하는 데는 도움을 줄 수 있다는 것이다. 따라서 이러한 인지요법은 뇌손상이나 치매를 앓고 있지 않은 정상노인에게서도 치매를 예방하는 방법의 하나로 적용이 가능하며, 현재의 인지기능의 능력을 향상하고 보존할 수 있는 방법으로 활용할 수 있다.

2. 치매예방 인지활동지 활용

치매환자들을 분석해보면 치매는 고학력자보다는 저학력자가 많이 걸리는 것으로 나타났다. 그리고 전반적으로 머리를 많이 사용하는 직업 종사자보다는 머리를 많이 사용하지 않는 직업 종사자에게 치매가 많이 나타났다. 또한 평상시 뇌를 많이 쓰면 정신계 손상을 감소시킬 수 있다는 연구결과를 종합해보면 머리를 많이 사용할수록 치매를 예방하는 데 도움이 된다는 것이다.

결국 인지요법은 뇌 운동을 통하여 치매를 예방하거나 치매를 더디게 하는 데 유용하다는 것을 알 수 있다. 따라서 인지요법을 적용하면 뇌가 운동을 하여 신경전달 통로의 수를 증가시킴으로써 뇌가 손상될 때 새로운 신경전달 통로를 이용할 수 있다.

인지요법은 다양하지만 그중에서 지속적이면서도 가장 효과적인 것이 치매예방 교육이다. 치매예방 교육은 직접 강의를 통해 전달할 수도 있지만 활동지를 통해 학습자가 직접 참여하는 것도 교육적 효과가 매우 높다.

치매예방 활동지를 이용한 치매예방은 인지기능 저하를 치료하고 보존 및 향상을 위해 특별히 만들어진 의사소통 중심의 접근방법이다. 인지요법 중에서 활동지를 통한 치매예방은 치매교육을 체계적이고 지속적으로 할 수 있다는 장점을 가지고 있다.

치매예방을 위한 활동지의 활용법을 살펴보면 다음과 같다.

● 치매예방 프로그램은 가장 기초적인 1단계부터 고급의 3단계(3권)로 구성되어 있고, 활동지의 상황에 따라 단계별로 적용할 수 있다.

● 활동지는 지남력, 집중력, 지각력, 기억력, 판단력, 언어력, 시공간력, 계산능력, 일기쓰기 등 9가지로 구성되어 있다.

● 활동지에 있는 일기쓰기는 매일의 과제로 활용할 수 있고, 실제 수업 시간에 작성하도록 해도 좋다.

● 활동지는 1시간당 2개의 활동지를 사용할 것을 권하며, 시간이 남을 때는 3개를 활용해도 된다. 따라서 활동지 1권은 주 2회 회당 2시간씩 수업을 한다고 가정한다면 2개월 분량이다.

● 활동지를 수업에 효과적으로 활용하기 위해서는 먼저 지도자가 학습자에게 활동지를 해결하는 방법과 마감 시간을 알려주어 활동지를 어떻게 풀어야 하는지 고민하지 않도록 해야 한다.

● 학습자가 활동지를 푸는 동안 지도자는 학습자가 활동지를 해결할 수 있도록 도와주어야 한다.

● 활동능력은 학습자에게 활동지에서 요구하는 대로 활동하도록 지도한다.

● 일기쓰기는 매일 일기쓰기 양식에 맞게 쓰도록 지도한다.

● 활동지를 다 해결하고 나면 전체 학습자에게 소감을 물어보고 수업을 정리하고 차시 학습을 예고한다.

● 활동지를 활용한 수업활동은 다음과 같이 진행한다.

<표 7-2> 수업활동

수업명	지남력 높이기		
학습목표	• 지남력을 설명할 수 있다. • 지남력에 관련된 기억들을 말한다.		
수업단계	교 수 · 학 습 활 동		자료
1	도입단계 (5분)	• 오늘의 날씨, 특이한 일, 소감 등을 말해준다. • 오늘 학습할 내용에 대해서 소개를 한다. • 학습목표를 설명한다.	
2	전개단계 (20분)	• 지도사 : 활동지를 작성하는 방법을 자세하게 설명한다. – 학습자 : 지도사의 설명을 듣는다. • 지도사 : 활동지를 설명한대로 작성하도록 한다. – 학습자 : 설명을 들은 대로 학습지를 작성한다. • 지도사 : 활동지 작성을 마치면 활동지의 내용을 확인한다. – 학습자 : 자신이 작성한 학습지가 올바르게 작성되었는지 확인한다.	
3	정리단계 (5분)	• 지도사 : 학습소감을 발표하게 한다. – 학습자 : 학습소감을 발표한다. • 지도사 : 학습에 대한 정리와 평가를 한다. • 지도사 : 차시 학습을 예고한다.	

3. 치매예방 활동지를 이용한 지도 방법

치매예방 활동지를 이용한 지도 방법은 다음과 같다.

❶ 1회 차의 수업시간은 40분으로 한다.

❷ 개인의 인지 상황에 따라 활동하고 수업에 참여할 수 있도록 한다.

❸ 수업이 시작되면 학습동기를 유발하기 위해서 신체활동이나 게임으로 시작한다.

❹ 활동지는 연필로 작성하는 것이 좋으며, 틀리면 지우개를 활용해서 지운다.

❺ 활동지를 푸는 방법을 충분히 설명해준다.

❻ 활동하는 방법을 잘 모르면 옆에서 천천히 도와주어야 한다.

❼ 활동을 할 때는 마감시간을 알려주어 시간을 조정할 수 있도록 한다.

❽ 활동지를 작성한 후에는 자신이 답한 것을 발표하도록 하여 학습자의 생각을 공유하게 한다.

❾ 활동을 마치면 그날 배운 내용에 대한 요약을 해주고 다음 학습을 예고한다.

4. 치매예방 활동지 수업진행 과정

월	주차	회차	수업 내용	시간
1	1	1	● 오리엔테이션(수업의 진행 과정 소개, 진행 방법, 공지사항) ● 수강생 자기 소개 ● 치매 선별 검사 및 채점을 통한 현황 파악	40분
		2	● 치매예방 활동 : 기억력 게임 ● 기억력 1단계 : 전자제품 기억하기 활동 및 발표	40분
	2	3	● 치매예방 활동 : 치매예방을 위한 건강 박수(손바닥 박수, 손가락 박수, 달걀 박수) ● 지남력 1단계 : 나 알기 활동 및 발표	40분
		4	● 치매예방 활동 : 치매예방 체조(얼굴 두드리기, 눈 돌리기, 눈 감고 씹기) ● 지각력 1단계 : 같은 과일끼리 연결하기 활동 및 발표	40분
	3	5	● 치매예방 활동 : 만다라 그리기 ● 집중력 1단계 : 숫자 찾기 활동 및 발표	40분
		6	● 치매예방 활동 : 비석치기놀이(발치기, 무릎치기, 가랑이치기) ● 판단력 1단계 : 물건의 이름과 용도 1 활동 및 발표	40분
	4	7	● 치매예방 활동 : 칠교놀이(1, 2, 3, 4) ● 시공간력 1단계 : 도형 따라 그리기 1 활동 및 발표	40분
		8	● 치매예방 활동 : 숫자 주사위놀이(더하기) ● 계산력 1단계 : 더하기 1 활동 및 발표	40분

월	주차	회차	수업 내용	시간
2	5	9	● 치매예방 활동 : 어려운 말 따라 하기 ● 언어력 1단계 : 글자 익히기 1 활동 및 발표	40분
		10	● 치매예방 활동 : 기억력 게임 ● 기억력 2단계 : 운송수단 기억하기 활동 및 발표	40분
	6	11	● 치매예방 활동 : 건강 박수(손등 박수, 먹보 박수, 목뒤 박수) ● 지남력 2단계 : 나 알기 2 활동 및 발표	40분
		12	● 치매예방 활동 : 치매예방 체조(소리내기, 볼·혀 쓰기, 목 돌리기) ● 지각력 2단계 : 같은 가전제품끼리 연결하기 활동 및 발표	40분
	7	13	● 치매예방 활동 : 치매 예방체조(온몸 자극하기) ● 지각력 2단계 : 숫자 채우기 활동 및 발표	40분
		14	● 치매예방 활동 : 비석치기(오금치기, 손등치기라) ● 판단력 2단계 : 물건의 이름과 용도 2 활동 및 발표	40분
	8	15	● 치매예방 활동 : 칠교놀이(5, 6, 7, 8) ● 시공간력 2단계 : 도형 따라 그리기 2 활동 및 발표	40분
		16	● 치매예방 활동 : 숫자 주사위 놀이 ● 계산력 2단계 : 더하기 2 활동 및 발표	40분
3	9	17	● 치매예방 활동 : 어려운 말 따라 하기 ● 언어력 2단계 : 글자 익히기 2 활동 및 발표	40분
		18	● 치매예방 활동 : 기억력 게임 ● 기억력 3단계 : 과일 기억하기 활동 및 발표	40분
	10	19	● 치매예방 활동 : 건강 박수(원 박수, 앞 뒤 박수) ● 기억력 3단계 : 친구 알기 활동 및 발표	40분

월	주차	회차	수업 내용	시간
		20	● 치매예방 활동 : 치매 예방체조(손 운동하기) ● 지남력 3단계 : 같은 야채끼리 연결하기 활동 및 발표	40분
	11	21	● 치매예방 활동 : 노래와 율동(사랑의 트위스트) ● 집중력 3단계 : 다른 문양 찾기 활동 및 발표	40분
		22	● 치매예방 활동 : 비석치기놀이(배꼽치기와 알통치기) ● 판단력 3단계 : 상황에 맞는 대처하기 1 활동 및 발표	40분
	12	23	● 치매예방 활동 : 칠교놀이(그릇, 나무, 네모) ● 시공간력 3단계 : 다음에 나올 도형 연결하기 활동 및 발표	40분
		24	● 치매예방 활동 : 숫자 주사위놀이(빼기) ● 계산력 3단계 : 빼기 활동 및 발표	40분
	13	25	● 치매예방 활동 : 꽃 이름 10개와 나무 이름 10개를 말하기 ● 언어력 3단계 : 낱말 연결하기 1 활동 및 발표	40분
		26	● 치매예방 활동 : 기억력 게임 ● 기억력 4단계 : 반찬 기억하기 활동 및 발표	40분
4	14	27	● 치매예방 활동 : 노래와 율동(쭉쭉빵빵) ● 지남력 4단계 : 자녀 알기 활동 및 발표	40분
		28	● 치매예방 활동 : 치매 예방체조(팔 운동하기) ● 지각력 4단계 : 같은 동물끼리 연결하기 활동 및 발표	40분
	15	29	● 치매예방 활동 : 노래와 율동(찔레꽃) ● 집중력 4단계 : 다른 그림 찾기 활동 및 발표	40분

월	주 차	회 차	수업 내용	시간
		30	● 치매예방 활동 : 비석치기(겨드랑이 치기, 어깨치기) ● 판단력 4단계 : 상황에 맞는 대처하기 2 활동 및 발표	40분
	16	31	● 치매예방 활동 : 칠교놀이(다리미, 돌고래, 돛단배) ● 시공간력 4단계 : 다음에 나올 도형 그리기 활동 및 발표	40분
		32	● 치매예방 활동 : 숫자 주사위놀이 ● 계산력 4단계 : 곱하기 활동 및 발표	40분
5	17	33	● 치매예방 활동 : 과일 이름 10개와 채소 이름 10개를 말하기 ● 언어력 4단계 : 낱말 연결하기 2 활동 및 발표	40분
		34	● 치매예방 활동 : 기억력 게임 ● 기억력 5단계 : 악기 기억하기 활동 및 발표	40분
	18	35	● 치매예방 활동 : 노래와 율동(내 나이가 어때서) ● 지남력 5단계 : 손주 알기 활동 및 발표	40분
		36	● 치매예방 활동 : 치매 예방체조(기 만들기, 기 펼치기) ● 지각력 5단계 : 같은 모양끼리 연결하기 활동 및 발표	40분
	19	37	● 치매예방 활동 : 노래와 율동(꽃물) ● 집중력 5단계 : 미로 찾기 활동 및 발표	40분
		38	● 치매예방 활동 : 비석치기(목치기, 이마치기) ● 시공간력 5단계 : 상황 판단하기 활동 및 발표	40분

월	주차	회차	수업 내용	시간
	20	39	● 치매예방 활동 : 칠교놀이(마름모, 물뿌리개, 물음표) ● 판단력 5단계 : 같은 도형 찾기 활동 및 발표	40분
		40	● 치매예방 활동 : 숫자 주사위놀이 ● 계산력 5단계 : 지폐 계산하기 활동 및 발표	40분
	21	41	● 치매예방 활동 : 동물 이름 10개와 주방용품 이름 10개를 말하기 ● 언어력 5단계 : 단어 분석하기 활동 및 발표	40분
		42	● 치매예방 활동 : 기억력 게임 ● 기억력 6단계 : 생선 기억하기 활동 및 발표	40분
	22	43	● 치매예방 활동 : 노래와 율동(나성에 가면) ● 지남력 6단계 : 시간 표시하기 활동 및 발표	40분
6		44	● 치매예방 활동 : 치매 예방체조(온몸 가다듬기) ● 지각력 6단계 : 실제 크기가 큰 순서로 연결하기 활동 및 발표	40분
	23	45	● 치매예방 활동 : 태극 주머니 놀이 ● 집중력 6단계 : 특징 찾기 활동 및 발표	40분
		46	● 치매예방 활동 : 비석치기(등치기, 머리치기) ● 시공간력 6단계 : 상황 판단하기 활동 및 발표	40분
	24	47	● 치매예방 활동 : 칠교놀이(마름모, 물뿌리개, 물음표)	40분

월	주차	회차	수업 내용	시간
			● 판단력 6단계 : 같은 도형 찾기 활동 및 발표	
		48	● 수업에 대한 전체적인 요약 ● 사후 평가 ● 질의응답 ● 수료식	40분

5. 치매예방 지도의 실제

치매예방 활동계획안			
차 시	1주차 1회	시 간	40분
주 제	오리엔테이션/ 프로그램 소개/ 자기 소개/ 치매 선별검사		
준 비 물		장소	
활동목표	1. 과정에 대한 이해를 한다. 2. 학습자들을 사귄다. 3. 치매선별 검사를 한다.		
수 업 (40)	도입 (5)	1. 인사를 한다. 2. 강사의 간략한 소개를 한다.	
	진행 (30)	1. 프로그램을 하게 된 배경을 설명한다. 2. 프로그램의 진행과정을 설명한다. 3. 학습자 전체에 대하여 자기 소개를 한다. 4. 치매 선별 검사지를 한다. 5. 치매 선별 검사지를 분석한다.	
	종료 (5)	1. 수업에 대한 요약을 한다. 2. 차시 학습을 예고한다.	

치매예방 활동계획안			
차 시	1주차 2회	시 간	40분
주 제	기억력 강화		
준 비 물	기억력 게임기, 활동지	장소	
활동목표	1. 신체활동을 통해서 치매를 예방한다. 2. 기억력을 강화한다.		
수 업 (40)	도입 (5)	1. 인사를 한다. 2. 전시 학습을 상기한다.	
	진행 (30)	1. 두 명당 1개의 기억력 게임기를 주고 같은 그림 찾기 게임을 한다. 2. 활동지를 푸는 방법을 알려준다. 3. 기억력 1단계(전자제품 3가지의 이름을 적고 활동지를 덮고 기억하기)를 하고 소감을 발표하게 한다. 	
	종료 (5)	1. 수업에 대한 요약을 한다. 2. 차시 학습을 예고한다.	

치매예방 활동계획안

차 시	2주차 3회	시 간	40분
주 제	지남력 강화		
준 비 물	활동지	장소	
활동목표	1. 신체활동을 통해서 치매를 예방한다. 2. 지남력을 강화한다.		

수 업 (40)	도입 (5)	1. 인사를 한다. 2. 전시 학습을 상기한다.
	진행 (30)	1. 치매예방을 위한 건강 박수(손바닥 박수, 손가락 박수, 달걀 박수)를 시연해 보이고 박수치게 한다. 2. 활동지를 푸는 방법을 알려준다. 3. 지남력 1단계(나와 관련된 정보를 알아보기)를 하고 소감을 발표하게 한다. **1 나 알기 1** ❶ 나의 이름은 무엇인가? ❷ 나의 생일은 어떻게 되나요? 년도와 월, 일을 적어보세요. ❸ 나의 나이는 몇 살인가요? ❹ 내가 가장 좋아하는 친구는 누구인가요? ❺ 내가 가장 잘하는 것은 무엇인가요? ❻ 지금 가장 보고 싶은 사람은 누구인가요?
	종료 (5)	1. 수업에 대한 요약을 한다. 2. 차시 학습을 예고한다.

치매예방 활동계획안			
차 시	2주차 4회	시 간	40분
주 제	지각력 강화		
준 비 물	동영상, 활동지	장소	
활동목표	1. 신체활동을 통해서 치매를 예방한다. 2. 지각력을 강화한다.		
수 업 (40)	도입 (5)	1. 인사를 한다. 2. 전시 학습을 상기한다.	
	진행 (40)	1. 뇌신경 체조(얼굴 두드리기, 눈 돌리기, 눈 감고 씹기)를 동영상으로 보여 주고 따라 하게 한다. https://youtu.be/6jJ3sauw7mQ 2. 활동지를 푸는 방법을 알려준다. 3. 지각력 1단계(같은 과일끼리 연결하기)를 하고 소감을 발표하게 한다. 	
	종료 (5)	1. 수업에 대한 요약을 한다. 2. 차시 학습을 예고한다.	

치매예방 활동계획안			
차 시	3주차 5회	시 간	40분
주 제	집중력 강화		
준 비 물	만다라, 사인펜, 활동지	장소	
활동목표	1. 신체활동을 통해서 치매를 예방한다. 2. 집중력을 강화한다.		
수 업 (40)	도입 (5)	1. 인사를 한다. 2. 전시 학습을 상기한다.	
	진행 (40)	1. 비석을 나누어주고 비석에 있는 만다라에 사인펜으로 색칠하게 한다. 2. 활동지를 푸는 방법을 알려준다. 3. 집중력 1단계(1부터 25까지의 숫자를 순서대로 찾기)를 하고 소감을 발표하게 한다. 	
	종료 (5)	1. 수업에 대한 요약을 한다. 2. 차시 학습을 예고한다.	

치매예방 활동계획안				
차 시	3주차 6회		시 간	40분
주 제	판단력 강화			
준 비 물	비석, 활동지		장소	
활동목표	1. 신체활동을 통해서 치매를 예방한다. 2. 판단력을 강화한다.			
수 업 (40)	도입 (5)	1. 인사를 한다. 2. 전시 학습을 상기한다.		
	진행 (30)	1. 비석치기 놀이를 한다.(발치기, 무릎치기, 가랑이치기) 2. 활동지를 푸는 방법을 알려준다. 3. 판단력 1단계(왼쪽의 물건의 이름과 용도를 말하거나 적기)를 하고 소감을 발표하게 한다. ① 물건의 이름과 용도 1		
	종료 (5)	1. 수업에 대한 요약을 한다. 2. 차시 학습을 예고한다.		

제8장 치매예방을 위한 심리치료

1. 치매예방을 위한 미술치료

1) 미술치료의 정의

미술치료(art therapy)는 1800년대와 1900년대 초 유럽에서 정신병리 진단의 보조도구로 사용되면서부터 시작되었다. 그리고 산업화의 발달로 인간성 상실이 사회적 문제가 되면서 정신병리적 문제가 본격적으로 연구되었다.

미술치료란 미술이라는 매체를 통해 심리적·정서적 갈등을 완화시켜 원만하고 창조적으로 살아갈 수 있도록 도와주는 심리치료법이다.

미술치료는 미술창작활동을 통해 개인의 심리상태나 정서 상태를 파악하고, 갈등관계의 심리정서적인 요소들을 미술창작활동을 통해 조화롭게 해결하도록 도와줌으로써 병리적인 정신구조의 재편성뿐만 아니라 심리적인 갈등 완화를 도와주는 치료활동이라 할 수 있다.

2) 미술치료의 방법

미술치료는 지금까지 나와 있는 심리치료법 중에서 가장 많은 연구와 임상 결과를 가지고 있는 분야다.

미술치료는 원래 미술적 표현방법과 치료라는 영역이 합쳐지면서 이론이 정립되었다. 따라서 미술치료는 예술치료, 예술요법, 미술치료, 회화요법 등으로 불린다.

미술치료의 진단방법으로는 회화요법, 묘화요법, 그림요법 등 다양하게 사용되고 있으며, 표현방법으로는 그림, 조소, 디자인, 서예, 공예 등으로 사용할 수 있다. 때문에 다른 치료에 비해 다양하게 활용되고 있어 내담자의 상태를 객관적으로 보는 데 효과적이다.

3) 미술치료의 목적

미술치료의 목적은 인간 개인이 가진 사회적 상호관계에서 어려움에 처한 정서적 불안이나 삶의 어려운 상황을 표출하고, 때로는 개인의 내면적인 문제점을 발견하고 해결하여 건강한 사회생활을 영위할 수 있도록 돕고, 때로는 개인의 무의식을 탐구하는 데 있다.

4) 미술치료의 효과

• 노인이 그린 그림 속에는 자신만의 감정과 생활을 반영한 비언어적 표현이 감추어져 있다. 따라서 자유로운 그림 표현을 통해 치매환자는 어려움 없이 자신의 속마음을 거부감 없이 내놓는 동시에 언어가 주는 표현의 어려움과 두려움의 완충제 역할을 해주기 때문에 우울증을 감소시킨다.

• 치매환자가 가질 수 있는 불행한 자기감정이나 고독감을 창조적인 미술치료 활동을 통해 감소시킬 수 있다.

노인은 결과물을 보며 자신이 성취하였다는 뿌듯함과 기쁨을 누리게 되는데, 이러한 감정은 자기효능감을 갖게 함으로써 삶에 대한 긍정적인 시각을 가지도록 한다.

• 붓이나 펜 등의 미술도구를 사용하면 노인의 굳어진 소근육을 사용하게 하므로 신체적으로도 건강에 도움을 준다.

• 미술은 평면적이고 입체적인 활동을 통해 시각적 집중력과 발달을 도와줌으로써 공간지각능력을 높인다.

• 미술치료 활동을 집단으로 하면 치매환자가 집단구성원으로서 소속감을 가지고 집단의 공통적 어려움을 공유하게 된다.

또한 자신의 행동을 집단의 피드백을 통해 알게 되므로 타인에게 미치는 서로 간의 행동에 관심을 가지면서 자기 내면의 감정변화에 따른 행동변화에 영향을 미친다.

• 타인에게 자신을 표현하는 데 어려움을 가진 내담자는 그림이라는 매체를 통해 의사소통할 수 있으므로 좀 더 쉽게 원만한 대인관계를 형성할 수 있다.

• 합동으로 작품을 만드는 미술활동에 참여하면 협동의식을 통해 타인의 감정을 인식하고 이해함으로써 적절한 대인관계를 개선시킬 수 있다.

2. 치매예방을 위한 웃음치료

1) 웃음치료의 정의

웃음은 유머의 자연스러운 반응으로 상호작용을 가능하게 하는 의사소통의 일종이다. 웃음의 사전적 의미로는 '쾌적한 정신활동을 수반하는 정서반응'이라고 하였으며 여기에는 신체적인 활동을 포함한 변화를 의미한다.

웃음은 긍정적인 웃음과 부정적인 웃음으로 분류된다. 웃음은 대인관계를 형성하며 살아가는 인간의 비언어적인 의사소통의 하나고, 상호관계성에서 웃음이라는 매개를 통해 부정적 관계와 긍정적 관계를 알리는 상징적 도구이기도 하다. 긍정적인 웃음은 대인관계를 보다 친밀하고 협조적인 관계로 만들어주고, 일상생활의 창의적 사고수준을 증진해주는 역할로 업무의 생산성과 결속력을 극대화하는 요소이기도 하다.

웃음치료(laughter therapy)란 웃음을 통해 자신의 신체적 · 감정적 상태를 표현함으로써 그 과정에서 즐거움을 찾고, 신체적 · 정신적 잔존 기능을 극대화시킴으로써 자신에게 긍정적인 변화를 가져오는 것을 말한다. 웃음을 통해 건강한 신체적 · 정신적 · 사회적 관계를 형성하고, 궁극적으로 인간의 삶의 질을 높이며 행복을 찾을 수 있도록 도와주는 것이라 할 수 있다.

2) 웃음치료의 특징

● 웃음은 스트레스를 없애준다. 웃음은 스트레스의 천적이라고 한다. 실제로 아프다는 생각을 하면 자리에 눕게 되는데, 이때 자리에 눕는 대신 온몸으로 한바탕 크게 웃다보면 혈액순환이 두 배 이상 증가하고 근육이 풀리고 피로가 사라진다.

● 웃음은 즐거운 감정을 불러일으킨다. 우리가 즐거운 감정을 가지면 우리

몸의 기능을 극대화시켜준다. 한바탕 웃으면 침의 분비량을 늘려 소화를 돕고, 웃고 있는 동안에는 위염에도 효과가 있다.

• 혈액순환이 좋아진다. 한바탕 웃으면 혈액순환을 증가시키고, 심장을 튼튼하게 하여 심장마비나 심혈관계 질환을 예방할 수 있다.

• 웃음은 심한 두통이나 허리 통증에 좋다. 웃음치료를 받고 나면 적어도 몇 시간 정도는 통증 없이 지낼 수 있다. 웃을 때는 모르핀보다 진통효과가 무려 200~300배 강한 엔도르핀과 엔케팔린 등의 진통호르몬이 다량 분비되기 때문이다.

• 면역계가 강해져 암을 예방할 수 있다. 웃음은 항체분비를 증가시켜 우리 몸의 저항력을 강하게 하여 암을 예방할 수 있다.

3) 웃음치료의 효과

• 웃음은 노인에게 즐거운 마음을 만들어주니, 자연스럽게 우울한 마음을 사라지게 하여 우울증을 치료하는 데 탁월한 효과가 있다.

• 웃으면 다양한 호르몬이 분비되는데 이때 집중력을 높여주는 도파민의 분비도 증가함으로써 인지기능을 유지하거나 높이는 데 도움이 된다.

• 웃음을 통해 긍정적으로 세상을 보게 되고, 결국에는 삶 자체를 즐거운 마음으로 살도록 해준다.

• 우울, 불안, 분노, 절망 같은 부정적인 감정이 조금씩 사라지고 세상과의 관계를 정상적으로 유지할 수 있다.

• 혈관계 치매에 나쁜 스트레스를 없애주어 혈관계 치매를 예방할 수 있다.

4) 웃음치료의 실제

① 생수웃음

한 손에는 웃음통을 들고 또한 손에는 웃음 컵을 든 시늉을 하면서 웃음통에 있는 웃음을 웃음 컵에 따르며 신나게 웃다가 물 컵을 입에 갖다 대며

시원하게 물을 마시는 흉내를 낸다.

② 박장대소
손뼉을 크게 치며 웃음은 '하 하 하'로 크게 길게 배꼽이 빠지도록 웃는다.

③ 책상대소
박장대소와 동일한 방법으로 책상을 두드리면서 웃는다. 발도 함께 구르면서 하면 더욱 효과적이다.

④ 뱃살대소
박장대소와 동일한 방법으로 자기 뱃살을 두드리면서 크게 신나게 웃는다.

⑤ 사자웃음
혀를 길게 내밀고 눈은 뒤집고 두 손은 아랫배를 치고 머리는 도리도리 좌우로 흔들며 크게 소리를 내면서 웃는다. 옆 사람과 서로 마주보고 손은 사자 갈퀴처럼 앞으로 하고 머리를 흔들며 웃는다.

⑥ 거울웃음
손바닥을 거울이라고 생각하고 손바닥을 보며 표정을 지으며 "나는 행복해" "나는 즐겁다", "나는 나를 사랑해" 하며 웃는다. 거울이 앞에 있지 않더라도 언제 어디서나 혼자서 손을 보며 아름답게 미소를 지으며 하하하~ 멋지게 웃어라. 옆의 짝꿍과 함께 거울이 되어 웃어라. 한 사람은 거울이고 한 사람은 웃는다. 거울은 상대가 웃는 표정과 행동, 웃음을 그대로 따라 한다.

⑦ 펭귄웃음

양손을 엉덩이 골반에 손바닥을 펴서 붙이고 엄마 펭귄을 서로 따라다니며 신나게 웃는다. 이때 입 모양을 오므리고 발동작은 보폭을 짧게 움직이며 재미있게 진행하고 아빠 펭귄, 아기 펭귄 순으로 서로 따라다니며 신나게 웃어본다.

⑧ 핸드폰 웃음

때론 힘들고 지쳐 있을 때 통증이 있을 때 핸드폰을 들고 누구하고 통화하는 척하며 신나게 웃는다.

⑨ 칭찬 웃음

서로 가위 바위 보를 하여 진 사람이 이긴 사람을 칭찬하도록 하고 이때 이긴 사람은 답례로 크게 웃어 준다.

⑩ 거울웃음

양손을 가슴 앞에서 거울처럼 펼쳐놓고 거울을 보며 "거울아 거울아 이 세상에서 누가 제일 예쁘니" 하고 물어 본다음 "나"라고 대답한 후 크게 하하하 ---웃은 다음 또 "거울아 거울아 이 세상에서 누가 제일 예쁘니"라고 물어 본 다음 "또 나"라고 대답하고 크게 웃음다음 "거울아 거울아 이 세상에서 누가 제일 예쁘니"라고 물어 본 다음 " 역시 나"라고 대답하고 더 크게 웃어 본다.

⑪ 마음웃기

"나는 행복해", "사랑해"를 외치며 자신의 가슴을 끌어안으며 행복한 미소를 끌어낸다. '당신은 사랑받기 위해 태어난 사람' 음악을 틀어 놓는다. 음악을 들으며 자신의 존귀함을 깨닫고 천하보다 귀하고 값진 자신의 존재를 사랑할 수 있는 마음을 갖게 한다.

⑫ 파도타기 웃음
파도타기 웃음은 다양한 방법으로 시도할 수 있는데, 강당에서도 가능하다. 한 사람이 먼저 박장대소를 시작하면 차례대로 박장대소를 한다. 처음 사람은 끝날 때까지 박장대소를 하는 것으로 큰 웃음파도를 맛볼 수 있어 건강한 웃음소리를 이끌어 낸다.

⑬ 샤워 웃음
우리의 몸은 때밀이로 밀지만, 마음의 때를 웃음으로 밀어본다.
두 사람이 한 조가 되어, 부위별로 목욕을 시킨다. 부위별로 웃음을 달리하여 웃음을 끌어올려 준다. 한 사람이 엄마가 되고, 다른 한 사람은 아이가 되어 웃음세수를 시켜줘도 재미있다.

⑭ 스티커를 이용한 칭찬 웃음
여러 가지 스티커를 이용하여 놀이와 함께 웃음을 나누는 웃음기법이다.
서로 '가위 바위 보'를 해서 스티커 하나를 붙이면서 칭찬해 준다.
또 다른 사람을 만나서 웃음인사를 하고 똑같은 방법으로 웃음을 나눈다.
마지막 반전을 위해 한꺼번에 가위 바위 보를 해서 한방에 붙이고, 많이 붙이거나 정해진 개수를 다 붙였을 때는 선물을 해도 좋다.

3. 치매예방을 위한 음악치료

1) 음악치료의 정의

음악치료(music therapy)는 환자의 건강을 회복시키기 위하여 음악이라는 매개체를 통하여 개인이 가진 문제를 해결하고 변화를 이끌어내는 치료적인 과정을 말한다.

음악치료의 대상은 정신 장애나 발달 관련 장애를 가진 사람, 알츠하이머병 등 노화와 관련된 질병을 가진 사람, 후천적인 외상으로 고통 받는 사람, 뇌 손상을 입은 사람, 육체적 질환으로 만성적인 고통을 가지고 있는 사람 등이 음악치료의 대상자가 되며, 건강한 사람도 음악치료의 혜택을 받음으로써 그들의 삶의 질을 높일 수 있다.

2) 음악치료의 방법

음악치료의 표현 방법은 음악듣기, 연주하기, 춤추기 등으로 이루어진다. 음악이 치료적 도구로 사용되는 이유는 음악은 인간행동이며, 리듬은 조직자이며 에너지의 원천이고, 시간의 흐름 속에 존재되는 구조적인 현실이며, 장소와 사람의 수에 크게 구애 받지 않으며 자유롭게 적용될 수 있다.

음악은 정보 운반, 학습, 자극을 유도함으로써 환자의 내면세계를 열리도록 하여 환자의 경향, 선호도, 친숙함, 현재의 기능을 파악하여, 음악을 통한 의미 있는 경험이 일어날 수 있는 치료적 환경을 만들어낸다.

3) 음악치료의 효과

• 노래는 여러 시대의 인생을 반영하고, 노인은 노래를 통해 지나간 그 시절의 일을 회상하게 된다. 따라서 시대별로 유행했던 친숙하고 익숙한 노래를 들

려줌으로써 회상을 통해 장·단기기억을 자극하여 젊어서 좋아했던 노래나 음악을 감상하며 회상력과 장기기억력을 증진시킨다.

• 음악은 기억과 정서를 자연스럽게 자극하기 때문에 치매환자의 마음을 편안하게 이완시키는 데 효과적으로 사용될 수 있으며, 사회적 관계증진과 성취감을 갖게 하여 삶의 존재가치를 높일 수 있다.

• 그룹 활동으로 노래 부르기를 하면 표현을 통해 서로 교감하면서 사회 통합감을 높인다.

• 간단하고 반복적인 음악을 들려주면 음악을 듣기 위해 집중력과 주의력을 강화시킨다.

• 타악기 연주는 신체기능이 저하된 노인에게 있어 감각운동을 도울 수 있다. 또한 연주과정에서 신체로 전달되는 촉각적 반응과 음색과 공명 등의 청각적 반응을 경험할 수 있다.

• 악기를 연주하면 상지의 소근육 운동 능력을 향상시킬 뿐 아니라 신체 움직임의 강화로 신체 재활에도 효과적이다.

• 타악기 연주활동은 노인의 우울감을 감소시키고 자존감과 자기만족감을 상승시켜 긍정적인 언어를 사용하는 효과를 가져온다.

4) 음악치료의 실제
① 우울할 때

우울 상태에 빠져 있을 때는 경쾌한 음악에 대한 거부반응을 일으키기가 쉽다. 하지만 우울한 음악은 자신의 기분과 맞기 때문에 쉽게 동조하게 된다. 우울할 때는 먼저 어둡고 슬픈 음악을 듣는 것은 '동질성의 원리'에서 비롯되는 치료 효과를 기대할 수 있다. 현재의 감정 상태와 공감이 될 수 있는 음악을 먼저 들려주고, 그 감정을 충분히 승화시킨 후 밝고 경쾌한 음악을 듣게 되면 우울증에서 벗어 날 수 있다.

▶ 추천곡 ·차이코프스키의 '비창', '우울한 세레나데'
·브람스의 '교향곡 1번 C단조 작품 68'
·주페의 '시인과 농부 서곡'

② 불면증이 심할 때

불면이 계속되면 피로 누적 및 눈의 충혈 등 육체적인 질병의 초기 증상이
나타나게 된다. 무엇보다 불규칙한 생활을 조절하면서 심신을 안정시켜줄 수
있는 조용하고 편안한 곡을 듣는다. 처음에는 자장가나 야상곡같이 단순하고
반복적인 음악으로 시작한다. 약간 크다 싶을 정도의 음량에 몸을 내맡겨 보다
가 조금씩 안정되는 느낌이 들면 볼륨을 줄인다.

▶ 추천곡 ·쇼팽의 '야상곡'
·슈베르트의 '자장가'
·모차르트의 '플루트 협주곡'
·멘델스존의 '봄노래'
·우리나라 전통 음악인 사물놀이패의 음악 연주나 낙수물 소리, 파도·강물
등 자연의 소리

③ 불안할 때

불안할 때는 깊은숨을 통해 긴장을 풀어주면서 편안한 음악을 듣게 한다. 음
악은 왈츠와 같이 가벼운 춤곡이나, 자연의 아름다움을 묘사한 경쾌한 곡들이
추천할만하다. 볼륨은 너무 크지 않는 쪽이 좋다.

▶ 추천곡 ·비발디의 '사계 중 가을'
·바흐의 '두 대의 바이올린을 위한 협주곡 2악장'
·요한 스트라우스의 '왈츠곡'

4. 치매예방을 위한 독서치료

1) 독서치료의 정의

독서치료(biblio therapy)는 간단하게 독서 자료를 읽거나 들은 후에 토론이나 역할놀이, 창의적인 문제해결 활동 등의 과정을 거치고, 독서 자료로부터 문제에 대한 통찰력을 이끌어내도록 돕는 것이다.

즉 독서치료는 발달이 부족하거나 특정하고 심각한 문제를 가지고 있는 내담자를 대상으로 다양한 문학작품들을 매개로 하여 치료사와 일대일이나 집단으로 토론, 글쓰기, 그림 그리기, 역할극 등 여러 가지 방법의 상호작용을 통해서 자신의 적응과 성장 및 당면한 문제들을 해결하는 데 도움을 얻는 것을 말한다.

2) 독서치료의 방법

독서치료가 다른 일반적인 독서와의 차이는 책을 읽은 후에 구체적인 활동이 반드시 함께 일어나야 한다는 것이다. 독서치료연구학회에서는 독서치료를 발달적 독서치료, 임상적 독서치료로 나눈다.

발달적 독서치료는 사람이 정상적인 일상의 과업에 대처하기 위해 문학작품을 활용하는 것이다. 예를 들어, 치매에 대한 교육을 직접 듣는 것보다 치매와 관련된 책을 읽으면 치료의 의미보다 전체적인 발달을 도울 수 있다는 것이다. 임상적 독서치료는 정서적으로나 행동 면에서 심하게 문제를 겪고 있는 사람들을 도와주는 개입의 형태로서 특별한 문제에 초점을 둔다. 예를 들어, 치매환자에게 또래관계, 가족관계뿐만 아니라 심지어 치매환자의 문제행동을 치료하는 방법이 되기도 한다.

독서치료에 사용되는 독서 자료는 문학작품, 인쇄된 글, 영화나 비디오 같은 시청각자료, 자신의 일기 등 내담자 자신의 작품 등을 말한다. 독서치료에서의 진단은 독서 자료를 읽은 후에 토론, 글쓰기, 그림 그리기, 역할극 등의 여러 가지 방법의 상호작용 등이 있다.

3) 독서치료의 효과

• 독서 치료는 상담자와 내담자 상호간의 교류를 통해서 자기 성찰을 하도록 도우며, 나아가 자기 자신의 이미지를 정확하게 파악하여 왜곡된 대인관계를 교정할 수 있다.

• 집단 독서치료는 경험의 감정을 표현하는 데 어려움을 가진 노인이 서로에게 자신을 드러내며 이해시키고 공감하게 함으로써 대인관계를 향상시킨다.

• 책을 읽고 작품을 이해하면서 노후생활을 보다 만족스럽고 성공적으로 이끌어 생활만족도와 삶의 질을 향상시킨다.

• 경제적 능력과 기동력이 감소되는 노인에게 있어 비용이 저렴하고 접근이 용이하게 적용할 수 있다.

• 책을 읽으면 다양한 단어와 내용을 접하면서 인지기능이 향상된다.

• 책을 읽으면서 작품에 몰입하면 우울증에서 벗어날 수 있다.

5. 치매예방을 위한 동물매개치료

1) 동물매개치료의 정의

1960년대 정신과 의사였던 보리스 레빈슨(Boris Levinson)은 아동이 진료를 받기 위하여 대기실에서 기다리는 동안 개와 놀면서 치료를 받지 않고도 저절로 회복되는 놀라운 사실을 목격하고 부수적 치료로 동물매개 치료를 적극적으로 활용할 것을 제안하였다.

동물매개치료(animal assisted therapy)는 동물의 자연스러운 행동이나 표정이 사람의 마음을 융화시키는 신기한 매력을 가지고 있기 때문에 동물을 매개로 사람과 사람 사이의 커뮤니케이션을 활성화해 삶의 본질이나 활력을 되찾는 것을 치료에 이용하는데, 이를 애완동물치료(pet therapy)라고도 한다.

동물매개치료는 특정한 기준에 맞는 동물이 인간의 신체적·사회적·정서적·인지적 기능을 향상시키거나 이와 관련된 문제를 치료하는 것이라고 할 수 있다.

동물매개치료는 교육적이고 오락적 유익을 제공하여 삶의 질을 향상하는 기회를 제공하는 동물매개활동(animal assisted activities)과는 차이가 있다. 특별히 훈련된 특정기준에 도달한 전문적·준전문적, 그리고 자원봉사자들에 의해 다양한 환경에서 이루어지고 있다.

2) 동물매개치료의 목적

동물매개치료의 목적은 인간과 가장 감성적으로 접근 가능한 동물로 정신질환, 지체장애 등을 치료하는 데 있다. 또한 동물매개치료에서 이용하는 동물은 장애인이나 노인에게 서비스를 제공하기도 하지만, 운동량이 부족한 사람들에게 반려동물은 놀이 및 산책을 함께할 수 있게 하고, 규칙적인 식사준비 및 기타 일상생활에 소홀한 독신이나 노인에게도 보다 규칙적인 생활을 할 수 있도록 도움을 주어 건강증진에 긍정적인 효과를 주며, 스트레스 유발을 최소화시킬 수 있다.

3) 동물매개치료의 효과

- 동물매개치료는 주변에서 쉽게 접할 수 있는 애완동물을 기르고 보살피면서 자연스럽게 정서 발달 및 사회성 증가가 이루어진다.
- 애완동물을 기르면서 애착이 형성되어 건강하고 긍정적인 심리발달에 도움이 되어 우울증에서 벗어날 수 있다.
- 동물을 돌보면서 동물의 욕구를 이해하려는 과정을 통해 타인을 이해하려는 감정이입 행동이 나타남으로써 정서가 발달하고 사회성이 증가한다.
- 애완동물을 키우면 어린 시절의 애완동물에 대한 추억에 잠기게 하는 회상력과 장기 기억력 향상에 도움이 된다.
- 동물매개치료는 자기효능감이나 자신감 같은 긍정적 정서를 증가시켜 심리적인 효과를 얻을 수 있다.
- 인간과 동물의 상호작용은 인간의 건강에 긍정적인 효과를 나타내는데, 심장 장애의 위험 감소, 혈압 저하, 일반적으로 전반적인 건강증진 같은 신체적 효과가 나타난다.

6. 치매예방을 위한 이야기치료

1) 이야기치료의 정의

이야기치료(narrative therapy)는 어떤 사물이나 사실, 현상에 대하여 일정한 줄거리를 가지고 말하는 것으로 치료하는 것을 말한다.

이야기치료는 어떤 예상이나 선입관도 없이 사람이 자신의 경험과 상상력을 활용하여 다른 사람이 언어화한 경험을 해석하려고 노력하는데서 치료가 이루어진다. 다시 말하면 이야기치료는 자신의 경험에 의미를 부여하는 해석과정 자체에 초점을 둔다고 할 수 있다.

2) 이야기치료의 특징

이야기치료는 이야기가 사람을 변화시키는 힘이 있다는 것을 전제로 하고 있다. 따라서 이야기치료는 내담자와 치료사가 직접 대화를 통해 이야기를 만들어가는 과정을 통해 치료를 한다. 즉 이야기치료는 이야기를 만들어가는 과정을 통해 문제를 해결하거나 상처가 치료되는 것이다.

언어에 의존하고 있는 이야기치료가 효과를 얻기 위해서는 내담자가 사용하는 언어가 치료자가 이해할 수 있는 것이어야 한다. 그래야 치료자는 내담자의 이야기를 듣고 수용할 수 있으며, 그에 맞는 치료를 제공할 수 있기 때문이다.

이야기치료의 목표는 문제해결보다 내담자가 자신의 경험을 이야기하면서 스스로 자신이 가지고 있는 문제를 깨닫고, 문제해결의 실마리를 찾을 수 있도록 도와주는데 의미가 있다. 더 나아가 치료자가 내담자에게 다양한 문제해결 방안을 제시해주면 내담자는 그 중에서 가장 합리적인 것을 선택할 수 있도록 도와주어야 한다.

3) 이야기치료의 효과

• 개인이 가지고 있는 문제를 해결해준다. 노인 자신이 가지고 있던 문제를 자연스럽게 이야기를 하다보면 풀리게 되는 경우가 많다.

• 스트레스가 해소된다. 평소에 제대로 표현하지 못했던 것을 충분히 표현하면 스트레스가 해소되면서 시상하부와 교감신경계가 안정돼 혈액순환을 비롯한 각종 신진대사가 안정적으로 이루어진다.

• 친밀감을 제공한다. 다른 사람들에게 자신의 이야기를 하다 보면 서로 이해심이 많아지고 인간관계도 좋아진다.

• 이야기치료는 사람들에게 말을 할 수 있다는 것만으로도 외로움에서 벗어날 수 있고, 우울증에서 벗어날 수 있다.

• 이야기치료는 비용이 전혀 들지 않고 어디서든 할 수 있어 매우 효율적인 치료법이다.

7. 치매예방을 위한 글쓰기치료

1) 글쓰기치료의 정의

글쓰기치료(journal therapy)는 정신적·육체적·정서적·영적으로 더 나은 건강과 행복을 위하여 반성적인 글쓰기를 사용하는 치료방법이다. 그러나 아무 글이나 글쓰기를 한다고 해서 치료효과가 있는 것은 아니다.

2) 글쓰기치료의 방법

글쓰기치료를 하려면 내담자에게 상처가 되었던 과거의 사건을 글로 자세히 묘사하고 그때 느꼈던 감정과 그 사건을 보는 현재의 느낌을 함께 쓸 때 치료의 효과가 커진다. 글쓰기를 할 때 꼭 이야기되었어야 할 사건들이 전개되면서 거기에 얽혀 있던 모호한 감정이 의미 있는 감정으로 재구성된다.

글쓰기를 통해 감정과 사건, 지금의 감정과 그때의 사건을 통합하는 과정을 거치면서 감정을 다스릴 수 있어야 치료가 된다. 글쓰기치료는 표현예술치료 쪽에서도 활용되고 있고 미국에서는 매우 활성화되어 있다. 글쓰기치료에는 서신왕래, 일기쓰기, 창의적 글쓰기, 시, 구조화된 글쓰기, 수필쓰기 등의 방법이 있다.

3) 글쓰기치료의 주의사항

글쓰기치료를 할 때 주의할 점은 문법이나 작품의 완성도를 보는 것이 아니라 내담자의 경험과 내면의 감정을 솔직하게 표현하는 데 초점을 두어야 한다. 글쓰기치료는 조금만 지도를 받으면 매우 값싸고 시공간의 제한이 없다는 장점이 있지만, 내담자의 상처를 반복해서 자세히 꺼내기 때문에 고통을 줄 수 있다는 단점이 있으니 주의해야 한다.

4) 글쓰기치료의 효과

• 글을 쓰는 동안 생각을 해야 하기 때문에 감정충돌을 완화시켜 주고 자기 효능감을 높여준다.

• 글을 쓰면서 반성적인 사고를 하고 문제해결 능력 또한 향상된다.

• 글을 쓰는 일에 몰두해야 하기 때문에 집중력이 높아지며 우울증이 감소한다.

• 글쓰기에 집중하면 긴장을 해소시켜 스트레스를 줄여준다.

• 글쓰기를 완성했을 때 성취감을 느끼며 자기효능감도 증진된다.

• 노인이 일기를 쓰면 학습 및 기억 능력, 주의집중 능력, 성격 및 정서 기능, 언어 관련 능력, 시공간적 지각 및 구성 능력, 실행 기능 등의 중요한 인지기능이 유지되고 향상된다. 또한 감수성이 풍부해지고, 하루 일과를 정리함으로써 계획성 있는 생활습관을 유지할 수 있다.

8. 치매예방을 위한 시치료

1) 시치료의 정의

시(詩)는 꿈과 같이 인간의 무의식에 가장 가까운 언어로, 시의 이미지, 상징, 리듬, 운율 같은 요소가 우리 내면세계로 통하는 문과 같은 역할을 한다. 이러한 의미에서 시치료(poetry therapy)는 문학작품 중에서 주로 시를 가지고 치료를 하는 것이다. 따라서 독서치료보다 그 매체가 한정되어 있지만 미국에서는 거의 독서치료와 동의어로 쓰일 정도로 대중적이다.

2) 시치료의 방법

독서치료에서도 시를 치료에 사용하는데 이는 용도가 다르다. 즉 독서치료에서 사용하는 시는 심미성에 초점을 맞추는 것이 아니라 내담자의 내면의 세계를 표현하는 데 관심이 있다. 반면에 시치료에서 사용하는 시는 내담자의 가장 깊은 내면을 시의 형태로 표현하도록 도와서 카타르시스와 통찰이 일어나도록 하는 것이다.

시치료의 과정을 보면 시를 통해 내담자는 자신을 객관적으로 표현하고 그 속에서 자신을 돌아볼 수 있는 것이다. 시치료의 대상은 특별히 정해져 있지 않지만 외롭거나 대인관계가 제한되어 있는 환자에게 효과적이다. 특히 전에 시를 써봤거나 좋아했던 사람에게 더욱 적합하다. 그러나 자신의 생각이나 감정을 꺼내놓는 것을 좋아하지 않는 환자에게는 도움이 되지 않는다. 특히 기질성 정신장애 환자나 반사회적 인격장애 또 급성정신병 환자에겐 시치료를 적용시키지 않는 것이 좋다.

치료자는 환자 자신을 탐색하고 표현할 수 있는 시에 관심을 가지고 가능한 한 시의 특성이나 원리를 가장 효과적인 방법에 적용시키는 것이다. 시치료에 나오는 시는 문학적 작품성이 중요한 것이 아니라 감정표현이 잘 이루어졌는지를 판단하고, 감정공유가 잘 이루어지는지를 관찰하는 일이 중요하다. 시를 쓰든지, 잘 알려진 시를 읽든지, 치료시를 처방하든지 간에 환자로 하여금 그 자신을 더 잘 내보이도록 하는 데 중점을 둔다.

3) 시치료의 효과

• 시작품은 이미지(심상)나 느낌을 자극해서 감정을 불러일으키고 정서적으로 풍부하게 해준다.

• 시로 인해 일상생활 중의 작은 아름다움들을 느끼게 되어 드디어는 자기 자신을 제대로 인식함으로써 자기효능감을 증가시킨다.

• 시를 읽으면서 시에 대한 이해를 하다보면 자기 자신에 대한 이해가 증진되어 우울증에서 벗어날 수 있다.

• 시를 읽으면 시에 나오는 다양한 소재를 이해하는 이해심은 자신을 관대하게 만들고, 대인관계를 증진시킨다.

• 일상적으로 만날 수 있는 구체적인 대상들을 시작품에서 접하면서 구체적인 이미지와 정보를 현실에 적응하는 능력이 높아진다.

9. 치매예방을 위한 요리치료

1) 요리치료의 정의

요리치료(cooking therapy)는 개인이 가지고 있는 성격장애, 정신질환, 발달장애, 노인질환, 정신지체, 신체장애, 행동장애 등 다양한 정신적인 외상들이 요리활동을 통해 표현함으로써 개인이 지니고 있는 긴장과 불안을 해소하며, 개인이 가진 정신적이고 신체적인 문제를 극복하고 해결하는 데 도움을 주는 심리학의 치료방법 중 하나다.

2) 요리치료의 방법

요리를 통해 심리치료가 가능한 것은 요리를 하는 과정과 만들어진 요리가 우리 내면의 정신세계와 외면의 현실세계를 구체적으로 표현해주고, 또 그것을 먹을 수 있기 때문에 요리치료는 다른 어떤 치료에 비해 강력한 치료적 성격을 가지고 있다.

과거에는 먹고 살기 위한 생존적 차원의 요리였으나, 지금의 요리는 인생을 즐기기 위한 방편으로 여긴다. 따라서 요리는 그 자체로서만 해도 인간에게 영원히 흥미를 줄 수밖에 없는 것이며, 생존을 위해 누구도 빗겨 나갈 수 없는 것이다.

요리는 누가 가르치지 않아도 기본적으로 습득하는 기능이기도 하고, 취미나 특기, 그리고 직업으로서도 각광받고 있는 분야이기도 하다. 결국 요리치료는 개인적으로 다들 흥미를 가지고 있기 때문에 즐거운 분위기에서 적극적으로 이루어진다는 것이 쉽게 접근할 수 있는 교육이자 치료이기도 하다.

요리치료를 통해 심리치료를 할 수 있는 이유는 요리는 인간의 생리적 욕구를 충족시키는 중요한 통로이며 생활의 한부분이기 때문이다.

더욱이 매일 먹는 요리재료들은 자신의 심상을 표현해놓은 것이기도 하다. 하지만 요리는 생명을 유지하기 위한 활동이기도 하다. 그러나 자신의 상상력과 경험을 바탕으로 이루어진다는 데서 다른 치료와 근본적으로 다르다고 할 수 있다.

요리치료 대상자는 성격장애, 정신질환, 발달장애, 노인질환, 정신지체, 신체장애, 행동장애 등의 다양한 정신적인 외상을 가진 사람들로 세분화할 수 있다. 연령층도 아동부터 노인까지 다양하기 때문에 대상자를 선정할 때는 누구를 대상으로 어떤 치료를 할 것인지를 먼저 결정해야 한다.

3) 요리치료의 진단
- 요리치료 활동을 하면서 대근육의 발달 정도와 근력상태를 진단할 수 있다.
- 요리치료를 통해 노인의 언어능력 수준을 진단할 수 있다.
- 요리치료를 통해 노인의 인지능력을 진단할 수 있다.
- 요리치료를 통해 노인의 사회적 능력을 진단할 수 있다.
- 요리치료를 통해 노인의 정서 상태를 진단할 수 있다.
- 요리활동 자체가 진단의 대상이 될 수 있다.

4) 요리치료의 효과
요리치료에는 노인의 기쁨, 슬픔, 불안, 좌절, 공포, 분노 등 모든 감정이 표현되는데, 이러한 감정표출을 통해 노인의 정서 부적응이나 기타 문제행동이 자연스럽게 치료된다.

요리치료를 통해 노인의 문제행동을 치료할 수 있는 내용을 구체적으로 살펴보면 다음과 같다.

• 자신이 가진 문제의 불안과 긴장을 해소시킨다. 요리치료의 이론적 근거는 노인이 요리치료를 통해서 자연스럽게 자신의 심리적 문제를 표현한다는 데 있다.

즉 심리적으로 문제를 지닌 노인에게 요리치료를 시키면 노인은 스스로 자연스럽게 요리치료를 통해 자신의 문제를 표현하면서 문제의 불안과 긴장을 해소시킨다는 것이다.

• 자신이 가진 문제를 스스로 극복하게 해준다. 차츰 자신의 문제에 대한 통찰력을 갖는데, 이러한 통찰은 노인에게 좀 더 긍정적이고 적극적인 방향으로 문제에 대응하도록 이끌어줌으로써 결과적으로 문제를 스스로 극복하게 해준다.

예를 들어 자신감을 상실해서 무엇이든 자신이 없다고 생각하는 노인이 간단한 요리를 만들어냄으로써 자신감이 생겨 자신의 가치에 대한 새로운 생각으로 성공에 대한 강한 신념을 갖는 것이다.

• 정화를 해준다. 요리치료는 노인이 겪는 일상의 경험과 앞으로의 생활을 재구성함으로써 노인이 본래 가지고 있는 가장 자연스러운 자기치료의 수단이 된다.

예를 들면 편식이 심한 노인이 요리치료를 하면서 평소 자신이 싫어하던 음식에 대한 인식이 바뀌게 되는 것이다.

• 정서적으로 안정감을 갖는다. 요리치료는 재료를 가지고 조리법에 따라 요리를 만들기 때문에 일정한 시간이 소요된다. 따라서 인내력이 길러져 정서적

안정감을 유지할 수 있다.

• 신체기능을 회복시켜준다. 요리치료는 질병이나 장애, 혹은 노화로 손상된 개인의 정신건강과 신체건강을 복원시켜주고 향상시켜 준다.

예를 들어 심한 우울증으로 대인관계를 유지하거나 집중력이 현저히 떨어져 직장생활을 제대로 수행할 수 없는 사람에게는 요리치료를 통해 이전의 기능으로 회복시켜주는 것이다. 또한 손을 잘 쓰지 못하는 사람에게는 요리를 통해 원래대로 신체기능을 치유하는 기능을 수행할 수 있다.

제9장 치매예방을 위한 운동

1. 치매예방을 위한 운동요법

1) 운동요법의 정의

운동요법이란 신체의 운동을 통하여 질병이나 그 후유증을 치료하는 방법을 말한다. 노인들에게 운동요법은 신체의 구조 및 기능의 저하를 예방하고, 질병이나 손상된 기능을 회복하고, 체력을 개선하여 치매에 도움이 되는 것으로 알려져 있다.

운동은 치매예방을 위해 매우 중요한 신체 활동으로 부각되고 있지만, 어떤 운동을 얼마나 해야 치매에 좋은지에 대해서는 아직 분명하지 않다. 다만 노년기에 접어들면서 부담없이 일상생활에서 손쉽게 할 수 있는 운동이 있다면 비단 치매 뿐 아니라 고혈압, 당뇨병, 낙상 등 노년기 질병이나 사고 예방에도 크게 도움이 될 것은 분명하다.

2) 운동의 효과

- 운동은 자발적 참여로 협동정신을 향상시켜 준다.
- 운동은 친목 도모의 효과가 있어 소외와 고독에서 벗어나게 해준다.
- 운동은 심신의 피로 및 휴양에 효과적이다.
- 운동은 스트레스 해소와 단조로운 생활에서 벗어나게 해준다.
- 운동은 자신감 향상, 심리적 안정감을 준다.
- 운동은 건전한 여가 선용을 가능하게 해준다.
- 운동은 순발력, 지구력, 근력, 협응력, 평형감각 등의 신체적 건강이 이루

어진다.

● 운동은 집중력, 기억력 증진, 시공간지각능력 증진, 청력·시력 등을 향상시킨다.

● 운동은 노인이 6개월간 규칙적 운동을 한 결과 심폐기능이 향상된다.

● 운동은 인지기능의 손상 및 치매 발병률이 낮아지고, 혈압, 당뇨, 고지혈증 등의 만성질환들이 치료 또는 예방되었다.

● 매일 20~30분의 규칙적인 운동은 인지기능 감소를 지연시킬 뿐 아니라, 인지장애와 치매의 진행과정 또한 늦추는 효과가 있다.

● 유산소 운동은 노인의 우울 증세를 호전시킨다.

● 운동은 노인의 근력을 강화시켜 준다.

● 운동은 노인의 뇌혈관의 손상 위험을 줄여 준다.

● 운동은 심혈관 기능을 개선시키고 뇌 혈류량을 증가시켜 전두엽의 위축 및 퇴화로 인한 인지기능 장애를 예방한다.

2. 치매예방을 위해 필요한 체력

1) 근력

근력이란 근육이 한 번에 최대로 낼 수 있는 힘을 말한다. 힘을 기른다는 것은 근력을 향상시킨다는 것을 의미한다. 노인에게 있어서 근력은 일상생활에서 전반적인 신체활동을 자유롭게 할 수 있게 해주고, 각종 질병에 대한 저항력을 키워주어, 건강하고 활기찬 생활을 할 수 있게 해준다.

노인들의 근력을 높이기 위해서는 기어가기, 버티기, 밀기, 끌기, 걷기, 뛰기, 밀기, 당기기, 무릎 들어올리기, 계단 오르기, 팔굽혀 펴기, 장애물 넘기 등이 효과적이다.

2) 지구력

운동을 지속하는 능력에는 근지구력과 전신지구력이 있다. 근지구력은 저항에 대하여 반복하여 힘을 내는 것, 또는 수축을 지속적으로 할 수 있는 능력을 말하며, 전신지구력은 격렬한 전신운동을 장시간 계속하는 능력을 말한다.

노인은 급격한 운동이나 부하가 강한 운동을 장시간 계속하게 되면 운동 직후의 심박 수가 오히려 안정 시의 심박 수보다도 감소하기 때문에 항상 무리가 되지 않도록 주의해야 한다.

노인들의 지구력을 높이기 위해서는 매달리기, 턱걸이, 밀기, 끌기, 버티기, 오래 걷기, 계단 오르기, 놀이, 율동, 수영 등이 효과적이다.

3) 유연성

유연성이란 몸의 균형을 잡거나 바른 자세를 취할 때뿐만 아니라 운동을 수행하는 데 크게 작용하는 체력요소를 말한다. 유연성은 몸을 비틀고, 굽히고, 돌리고, 숙이는데 근육을 부드럽고 효율적으로 움직이는데 필수적이다.

유연성이 생기면 근육에 탄력이 생기며, 관절의 가동범위가 확대되어 할 수 있는 운동이 증가하게 된다. 노인들의 유연성을 높이기 위해서는 의자에 앉아 다리 올리기, 의자 잡고 상체 굽히기, 팔 굽혀서 펴기, 벽 잡고 다리 굽히기, 몸을 앞·뒤·옆으로 굽히기, 몸을 흔들거나 비틀기, 체조 등이 효과적이다.

4) 순발력

순발력이란 근력을 단시간에 최고로 발휘하는 능력이다. 순발력은 근력, 근지구력과 함께 운동수행에 관여하는 중요한 근기능이다.

노인들의 순발력을 높이기 위해서는 지그재그 걷기, 들어올리기, 장애물 넘기, 줄넘기, 몸 평형잡기, 공 던지기, 게이트 볼 등이 효과적이다.

5) 민첩성

민첩성이란 신체의 일부 또는 전체를 신속하게 움직이든가 방향을 바꾸는 능력을 말한다. 노인기는 민첩성이 떨어지는 시기로 자신의 몸을 신속하고 능률적으로 통제할 수 있는 능력을 갖게 된다.

노인들의 민첩성을 높이기 위해서는 작은 출입구 빠져나가기, 발을 재빨리 차올리기, 제기차기, 신속히 눕고 일어서기, 지그재그 걷기, 게이트 볼 등이 효과적이다.

6) 평형성

평형성이란 신체의 균형을 유지하는 능력을 말한다. 평형감각을 발달시킴으로써 바르고 좋은 자세를 유지시킬 수 있으며 안정된 동작으로 운동에 참여할 수 있게 된다.

노인들의 평형성을 높이기 위해서는 평균대 걷기, 긴 줄 걷기, 한 발로 서기, 징검다리 걷기 등이 효과적이다.

3. 치매예방을 위한 유산소 운동

치매를 예방하고 지연하는데 가장 좋은 운동은 과격한 운동보다는 유산소 운동이 효과적이다. 유산소 운동이란 운동을 하면서 숨이 차지 않으며 큰 힘을 들이지 않고도 할 수 있는 운동을 말한다.

반면에 무산소 운동은 강도가 높아 장시간 할 수 없기 때문에 노인들이 하기에는 별 도움이 되지 않는다. 특히 치매에 걸린 노인에게 격한 무산소 운동을 시키게 되면 운동이 힘들기 때문에 싫어하게 되고 오히려 치매 예방에 역효과를 낼 수 있다.

유산소 운동은 몸 안에 최대한 많은 양의 산소를 공급시킴으로써 심장과 폐의 기능을 향상시키고, 특히 혈관조직을 강하게 만드는 혈관성 치매 예방에 효과가 있다. 또한 유산소 운동은 운동 중에 필요한 에너지를 유산소적인 대사 과정을 통해서 생성하여 오랜 시간 운동을 지속할 수 있기 때문에 치매예방에 효과적이다

유산소 운동을 장기 동안 규칙적으로 실시하면 운동 부족과 관련이 높은 고혈압, 동맥경화, 고지혈증, 허혈성 심장질환, 당뇨병 등의 성인병을 적절히 예방할 수 있을 뿐만 아니라, 치매 예방과 노화 현상을 지연시킬 수 있다.

노인들에게 맞는 유산소 운동에는 걷기, 빨리 걷기, 가볍게 달리기, 에어로빅, 게이트볼, 에어로빅 등이 여기에 속한다.

1) 걷기

걷기 운동은 가장 강도가 낮으면서 대표적인 손쉬운 운동이다. 그리고 언제나 어디서나 혼자서 할 수 있는 경제적인 운동이다. 만보기를 이용해 걷기 운동을 하면 효율적인 체력관리에 도움이 된다.

걷기는 처음에는 천천히 시작하여 어느 정도 익숙해지면 속도를 빨리하여 걸어서 땀이 날 정도로 걷는 것이 좋다.

걷기로 치매를 을 예방하기 위해서는 하루 1시간 정도는 걸어야 하며, 운동량을 걸음수로 환산하면 약 5천 걸음에 해당한다.

2) 수영과 수중운동

수영과 수중운동은 걷기보다 열량을 많이 소비하는 운동이지만 부력효과로 지상에서의 운동에 비해 체중 부하로 오는 관절의 부담을 적게 받는다.

근육과 심장에 좋으며, 폐 기능을 증진시킨다. 수영으로 하루 100kcal를 소모시키려면 15분을 수영해야 한다.

3) 에어로빅

에어로빅은 기초체력 단련을 위한 동작에 춤과 음악을 곁들여 흥미가 있다. 에어로빅은 심장이 강화되고 체중 감량, 근육 강화 등의 효과가 있고, 특히 복부, 엉덩이, 대퇴부위의 군살을 빼고 탄력 있고 윤기 있는 근육으로 만드는 데 적합한 운동이다. 노인들에게는 노인의 체력에 맞게 음악에 맞추어 가벼운 에어로빅을 해야 한다.

4. 치매예방을 위한 스트레칭

스트레칭은 관절의 가동범위를 향상시키는데 도움이 된다. 스트레칭은 통증이 생길 정도로 심해서는 안 된다. 적어도 주당 3회 실시하고 유산소 운동 전후의 준비운동과 정리운동에 포함시키면 효과적이다.

스트레칭으로 하루 100kcal를 소모시키려면 30분을 해야 한다. 주 3회 실시하고 통증이 생길 정도로 과하게 해서는 안 된다. 걷기나 계단 오르기로 생길 수 있는 근골격계 상해는 다리 근육과 대퇴부위를 스트레칭을 함으로써 방지할 수 있으며 근신경계 긴장을 완화시키기 위해 정적인 스트레칭 운동을 하는 것이 많은 도움을 준다.

1) 누워서 하는 스트레칭
① 누운 상태에서 다리를 대(大)자로 편다. 양팔은 깍지 낀 채 위로 올리고 쭉 펴며 힘을 주어 10초간 유지한다.

② 누운 상태에서 양팔을 수평으로 벌린다. 오른쪽 다리를 90도 각도로 유지한 후 왼쪽으로 몸을 틀어준다. 얼굴은 오른쪽을 바라보고 10초간 유지한다. 반대쪽 다리도 같은 방법으로 시행한 후 10초간 유지한다.

③ 엎드린 자세에서 상체를 위로 들어 올린다. 얼굴은 위를 향하고 약 10초간 유지한다.

2) 앉아서 하는 스트레칭
① 양반다리로 앉은 후 허리를 세우고 상체와 얼굴이 일직선이 되게 하여 오른쪽으로 돌린다. 약 10초간 유지한 후 같은 방법으로 왼쪽으로 돌리며 10초간 유지한다.

② 양다리를 앞으로 쭉 펴고 천천히 상체를 앞으로 숙여 양손을 발끝으로 가져간다. 약 10초간 유지한 후 다시 천천히 올라온다.

③ 양다리를 최대한 벌리고 발가락 끝에 힘을 준다. 양팔을 나란히 펴고 왼쪽 팔을 머리 위로 오른쪽 팔은 왼쪽 옆구리를 향한다. 약 10초간 유지한 후 같은 방법으로 오른쪽 팔을 머리 위로 왼쪽 팔은 오른쪽 옆구리로 향하고 10초간 유지한다.

3) 서서하는 스트레칭

① 다리는 어깨 넓이로 벌리고 양쪽 팔을 위로 올린 후 두 팔을 깍지 낀 상태로 힘을 준다. 두 손을 깍지 낀 채 오른쪽으로 향하고 약 10초간 유지한 후 다시 왼쪽으로 향해 10초간 유지한다.

② 양쪽 다리를 어깨보다 넓게 벌리고 무릎을 구부린다. 양손을 양쪽 무릎 위에 올려놓고 앉은 자세를 취한다. 오른쪽 무릎 안쪽을 바깥으로 밀면서 오른쪽 어깨 쪽으로 고개를 돌리고 10초간 유지한다. 같은 방법으로 왼쪽 무릎 안쪽을 바깥으로 밀면서 왼쪽 어깨 쪽으로 고개를 돌리고 10초간 유지한다.

③ 다리를 어깨 넓이로 벌리고 양 팔을 등 뒤로 가져가 깍지를 낀다. 시선을 위로 향한 채 가슴을 펴고 양팔을 뒤로 깍지 낀 채 들어 올린다. 약 10초간 유지한다.

5. 치매예방을 위한 유연성 운동

유연성이란 인체의 하나 또는 복수의 관절과 근육에 관계된 관절을 둘러싼 근육이 최대한 어디 범위까지 관절을 움직일 수 있는가를 나타내는 능력을 말한다. 유연성이 필요한 이유는 동작을 원활히 한다든가 부상을 예방 하는 것에 중요한 역할을 하는 능력이라고도 한다.

일반적으로 유연성의 크기는 관절의 가동범위에 의해서 결정된다. 유연성이 높아질수록 특정 동작범위 내에서의 재빠른 피하기, 발차기, 거리조절 등 기능이 향상된다.

노인이 되면 유연성이 떨어져 자주 넘어지고, 넘어지면 다치게 된다. 따라서 노인이 되어서는 유연성이 절실히 필요하다.

1) 의자에 앉아 다리 올리기

의자에 앉아 다리 올리기는 평소에 잘 쓰지 않는 허벅지 뒤 근육의 유연성을 높이는 운동이다. 운동하는 방법은 다음과 같다.

① 의자에 앉아 한쪽 다리를 뻗고 앉고, 다른 쪽 다리는 내려놓는다.

② 등을 쭉 편다.

③ 이때 허벅지 뒷부분에 스트레칭 되는 느낌이 있으면, 그 동작을 10~30초 동안 유지한다.

④ 스트레칭 되는 느낌이 없으면, 엉덩이관절 부분을 앞으로 숙여서 스트레칭 되는 각도를 유지한다. 이때 허리 및 등과 어깨 등은 곧게 편다.

⑤ 그 동작을 10~30초간 유지한다.

⑥ 다리를 바꾸어 반대 쪽 다리를 쭉 뻗고, 다른 쪽 다리는 내려놓는다.

⑦ 각각의 다리를 3~5회 시행한다.

주의) 고관절 수술을 시행한 사람은 의사의 허락이 없을 시 생략한다.

[그림 9-1] 의자에 앉아 다리 올리기

2) 의자 잡고 상체 굽히기

의자 잡고 상체 굽히기는 평소에 잘 쓰지 않는 허벅지 뒤 근육의 유연성을 높이는 운동이다. 운동하는 방법은 다음과 같다.

① 의자 뒤에 서서 양손으로 의자를 잡는다.

② 엉덩이 관절 부분을 앞으로 숙여서 스트레칭 되면 그 각도를 유지한다. 이때 허리 및 등과 어깨 등은 곧게 편다.

③ 10~30초간 유지한다.

④ 3~5회 시행한다.

[그림 9-2] 의자 잡고 상체 굽히기

3) 벽 잡고 다리 굽히기

벽 잡고 다리 굽히기는 평소에 잘 쓰지 않는 종아리 근육의 유연성을 높이는 운동이다. 운동하는 방법은 다음과 같다.

① 양팔을 쭉 펴서 벽을 양손으로 짚고 선다.

② 한쪽 무릎을 살짝 구부리고, 반대편 발을 약간 뒤로 하여 쭉 편다.

③ 종아리 뒤쪽에 스트레칭이 되는 느낌이 들 때까지 발을 뒤로 뺀다.

④ 10~30초간 유지한다.

⑤ 폈던 다리를 구부리고 10~30초간 유지한다.

⑥ 반대편 다리를 시행한다.

⑦ 각각 다리마다 3~5회 시행한다.

4) 직선과 지그재그 걷기

① 테이프를 바닥에 직선으로 붙인다.

② 테이프 위를 최대한 똑바로 걷는다.

③ 선을 밟지 말고 테이프의 오른쪽에는 왼발로 내딛고, 테이프의 왼쪽에는 오른발을 내딛는다.

④ 걷기를 지속적으로 한다.

[그림 9-3] 직선 걷기   [그림 9-4] 지그재그 걷기

6. 치매예방을 위한 박수

 손은 다양한 신체기관과 연결되어 있기 때문에 박수를 치는 동작으로 해당 신체기관을 자극해서 건강에 도움이 된다. 박수는 손을 어느 부위에 부딪히느냐에 따라서 그 명칭과 효과가 달라진다. 박수는 다음과 같이 쳐야 한다.

 ① 박수는 손의 기맥과 경혈을 부분적으로 자극해서 손과 연결된 내장 및 각 기관을 자극함으로써 갖가지 질병을 예방하고 치료하는데 효과가 있다.

 ② 하나의 동작을 10초에 60회 빠른 속도로 쳐야 효과가 있다.

 ③ 치다가 아픈 부위가 있는 경우는 30초~1분 정도 연속해서 쳐야 효과가 있다.

 ④ 손에는 전신에 연결된 14개의 기맥과 340여 개의 경혈이 있어 박수만 잘 쳐도 각종 질병의 예방과 치료에 도움을 줄 수 있다.

 ⑤ 박수가 머리부터 발까지 운동 효과가 있으므로, 전신운동을 하는 것과 비슷한 효과가 있고, 전신 혈액순환에 탁월한 효과가 있을 뿐 아니라 신진대사까지 촉진시키고, 스트레스 해소, 두통, 견비통, 기관지, 방광, 신장, 내장 등을 자극하며 치매 예방, 두뇌활성화, 체중감량, 집중력 향상에도 도움이 된다.

1) 손바닥 박수

 우리가 일반적으로 박수를 칠 때 하는 가장 기본적인 박수로서 이 효과를 극대화시키기 위해서 손가락을 쫙 펴서 뒤로 젖힌 후 양쪽 손만 마주치게 하는 박수다.

 인체의 내장기관이 손바닥에 집중되어있기 때문에 이 손바닥 박수를 치면 내장을 강화하는데 도움이 되며 당뇨합병증을 예방하는 효과가 있다.

[그림 9-5] 손바닥 박수 　　　　　　 [그림 9-6] 손가락 박수

2) 손가락 박수

이름에서도 짐작할 수 있는 이 박수는 열손가락을 부딪치며 치는 박수다. 모든 손가락을 다 마주치기가 힘들지만, 비염으로 고생하고 있는 노인에게 좋다.

3) 달걀(손가락 끝) 박수

소리가 조금 덜 나게 할 때 손가락 끝과 손목 쪽이 닿는 이 달걀 박수를 치면 좋다. 달걀 박수는 손을 구부려서 손바닥이 닿지 않게 치는 박수로 중풍이나 치매예방에 좋다.

[그림 9-7] 달걀 박수 　　　　　　 [그림 9-8] 손등 박수

4) 손등 박수

손등박수는 한 쪽 손으로 다른 한쪽 손등을 치는 박수다. 양손을 번갈아가면서 손등을 쳐주면 되는데 요통에 효과적이기 때문에 척추와 허리가 좋지 않은 노인들에게 좋다.

5) 주먹 박수

주먹 박수는 주먹을 쥔 상태로 박수를 치는 방법으로 하면 된다. 이유 없이 두통을 느끼는 사람이나 어깨에 통증을 느낀다면 이 주먹 박수가 효과적이다.

[그림 9-9] 주먹 박수   [그림 9-10] 먹보 박수

6) 먹보 박수

먹보 박수는 주먹을 쥔 손으로 다른 쪽 손바닥을 치는 박수다. 먹보 박수는 역시 양 손을 번갈아가면서 쳐야 효과가 좋다. 먹보 박수는 혈액순환이 잘 되게 해주면서 폐 기능을 강화해주는 효과가 있다.

7) 목 뒤 박수

손을 목 뒤로 해서 박수를 쳐주면 되는데 최대한 힘차게 박수를 치는 것이

좋다. 어깨 피로를 풀어주기도 하고 예방하기도 한다.

[그림 9-11] 목 뒤 박수

8) 원 박수

바로 선 자세에서 손을 최대한 벌려 머리 위로 모은 뒤 박수를 친 후 반동을 주어, 아래로 손을 내려 밑에서 박수를 친다.

원 박수를 치면 집중력이 생기고, 유연성이 증가하며, 당뇨 합병증을 예방하는 효과가 있다.

[그림 9-12] 원 박수

9) 앞뒤 박수

바로 선 자세에서 양팔을 최대한 편 채로 몸통 앞, 뒤로 박수를 친다. 앞뒤 박수치기는 걸으면서도 동작을 실시할 수 있다.

앞뒤 박수를 치면 집중력이 생기고, 유연성이 증가하며, 당뇨 합병증을 예방하는 효과가 있다.

[그림 9-13] 앞뒤 박수치기

제10장 치매예방을 위한 식습관

1. 식품이 뇌에 미치는 영향

음식을 먹지 않으면 생명을 유지하기 어려울 뿐만 아니라 결국에는 사망에 이르게 된다. 뿐만아니라 식생활은 사람의 인체에 미치는 영향은 매우 크다. 음식은 우리 생명을 유지할 뿐만 아니라 뇌의 건강에도 지대한 영향을 미친다.

치매는 기억력부터 시작해서 대뇌의 기능 전체가 서서히 점차 소실되어 간다. 인간에게 육체만 건강하다고 해서 오래 사는 것이 중요한 것이 아니라, 뇌도 건강하게 유지해야 행복한 장수를 누릴 수 있다. 뇌가 신체보다 먼저 기능을 못한다면 우리의 삶은 비참하게 변하게 된다.

고령화 사회가 도래함과 동시에 노인성 치매가 증가함에 따라 두뇌의 노화를 방지하는 방법에 대하여 초미의 관심사가 아닐 수 없다. 뇌를 연구하는 사람들은 인간의 뇌세포는 125세까지 산다고 한다. 그러나 현실적으로는 뇌동맥경화나 뇌일혈이나 뇌혈전증 등 뇌혈관의 질병에 의해 뇌세포의 활동이 떨어지고, 그 수명이 현저하게 단축되어 사고력이 저하돼 노인성 치매가 나타나고 있다.

지금까지 밝혀진 연구에 의하면 뇌혈관을 노화시키고, 뇌세포의 활동을 저하시키고 있는 주된 원인이 바로 우리의 식생활에 있다는 것이다.

뇌는 생후 6개월 동안이 가장 빠르게 성장하여 출생 때에 비해 약 2배로 커지고 7, 8세에 성인의 뇌 무게의 90%까지 성장한다. 24세 전후에서 두뇌의 성장이 완성되고 더 이상 성장을 멈추게 된다. 두뇌의 성장이 두뇌 세포의 증가라고 생각하기 쉽지만, 사실 인간의 뇌세포는 갓난 아기 때에 이미 약 140억개인데 이 숫자는 신체가 성장해도 절대로 늘어나지 않으며, 오히려 뇌세포가 죽는 것으로 알려져 있다.

두뇌의 기능, 지능은 근육과 마찬가지로 인지훈련을 통해서 향상되는 것으로 보고되고 있다. 또한 두뇌의 활성화에 있어서 가장 중요한 것은 올바른 영양을 섭취하는 것이다. 두뇌도 육체와 마찬가지로 영양을 공급받지 않으면 성장은 물론 제대로 기능을 유지할 수 없게 된다. 따라서 두뇌 기능 유지에 식습관은 큰 영향을 준다고 할 수 있다.

실제로 두뇌의 기능을 높이는 영양소들이 많이 들어 있는 호두, 등푸른 생선, 콩, 해초류 등의 식품은 뇌의 기능을 활성화하거나 기능을 유지하는데 도움이 되는 것으로 알려져 있다.

특히 혈관성 치매는 기름기가 많은 육식 중심의 식생활에서 오는 콜레스테롤의 증가나 염분이 많은 식생활로 육체와 뇌세포의 노화를 촉진하고 있는 요인으로 등장했다. 콜레스테롤의 증가는 뇌혈관을 좁아지게 하여 피의 흐름이 어려워져 영양공급이 제대로 되지 못하는 것으로 알려져 있다. 이밖에도 고혈압이나 알코올, 비만, 당뇨병, 중풍, 몸에 해로운 식품첨가물 등도 치매를 일으키는 위험 인자이다. 치매를 일으키는 위험인자는 잘못된 식습관에 의해서 만들어지는 경우가 대분이다. 따라서 치매는 우리가 먹는 음식이 지대한 영향을 끼치는 것을 알 수 있다.

2. 치매예방을 위한 영양관리의 필요성

치매를 앓는 노인들을 살펴보면 대부분 영양실조인 경우가 많다. 치매환자는 노화로 인해 영양소 대사 능력이 감소되어 있고 여러 가지 신체적 질병을 함께 가지고 있을 가능성이 많기 때문에 치매환자는 어떤 환자보다도 영양관리가 중요하다.

현재 음식과 식습관을 고치는 것으로 치매를 예방하는 연구들이 이뤄지고 있다. 명확한 사실관계는 더 규명되어야 하겠지만 여러 가지 실험을 통해서 치매에 좋은 음식과 치매를 예방하는 식습관을 통해 치매를 관리하는 사람들은 그렇지 않은 사람들에 비하여 치매의 위험을 줄이는 결과가 실제로 나타나고 있다. 따라서 치매를 예방하고 치매를 지연하기 위해서는 치매예방에 좋은 음식과 치매를 예방하는 식습관을 생활화해야 한다.

노인들에게 5대 영양소(단백질, 칼슘, 무기질과 비타민, 당질, 지방)는 노인들의 건강을 유지하고 치매를 예방하기 하는 데 반드시 필요한 영양소이다. 5 영양소 중 탄수화물, 단백질, 지방은 신체의 에너지원으로 활용된다. 그 외에 미네랄, 비타민, 물은 신체의 신진대사를 돕는 영양소들이다. 치매를 예방하기 위해서는 5대 영양소를 균형적으로 섭취해야 한다. 노인들이 섭취해야할 영양소는 활동이 왕성한 성인의 75~80%수준으로 섭취를 해야 한다.

치매 증상이 나타나면 자신이 무엇을 섭취했는지, 식사를 했는지를 모르기 때문에 영양관리는 더욱 필요해진다. 영양이 충분해야 우리 몸이 최대한 기능을 유지할 수 있지만, 영양이 부족하면 건강도 나빠지면서 합병증은 물론 치매가 더욱 빨리 찾아오게 된다. 치매를 예방하기 위해서는 우리 몸의 기능을 최대한 유지하기 위해서 영양관리가 필요하다.

3. 치매예방을 위해 필요한 영양소

치매를 예방하기 위해서는 영양을 관리해야 한다. 특히 노인들의 치매예방을 위해서는 영양이 골고루 공급될 수 있도록 식품 구성탑에 의거하여 영양을 공급해야 한다.

식품 구성탑이란 식품을 다섯 가지 군으로 분류하여 균형된 식사를 계획하여 섭취할 수 있도록 만든 표이다. 식품 구성탑에 의거하여 하루 식단을 구성하여 제공하면 가장 건강을 유지하는 식사를 제공할 수 있다.

1) 1층 : 곡류 및 전분류

밥, 국수, 식빵, 시리얼, 떡 등의 곡류 및 전분류는 운동을 하는데 필요한 에너지를 만들고 소화를 돕는 일을 하지만 적게 먹으면 체중이 줄고 몸이 허약해지지만 과잉 섭취 시에는 비만을 가져온다. 노인에게는 1일 식사 때마다 밥 1공기(210g), 국수 1대접(90g), 식빵 3조각(100g) 중에서 선택해서 제공하는 것이 적당하다.

2) 2층 : 채소 및 과일군

시금치나물, 콩나물, 김치, 느타리버섯, 물미역, 감자, 귤, 토마토 등의 채소 및 과일군은 우리 몸 각 부분의 기능을 조절해 주고 질병을 이길 수 있는 에너지를 준다. 부족할 때에는 피로를 느끼고 무기력해진다.

노인에게는 1일 식사 때마다 생야채(60g), 김치(60g), 과일(100g), 과일주스($\frac{1}{2}$컵) 중에서 선택해서 제공하는 것이 적당하다.

3) 3층 : 고기·생선·계란·콩류군

고기, 닭, 생선, 두부, 계란 등의 콩류군은 우리 몸의 피와 살을 만들고, 뇌의 발달을 돕는다. 부족할 때에는 운동을 하기 어려우며 쉽게 기력이 떨어진다. 노인에게는 1일 식사 때마다 생야채(60g), 김치(60g), 과일(100g), 과일주스($\frac{1}{2}$컵) 중에서 선택해서 제공하는 것이 적당하다.

4) 4층 : 우유 및 유제품류

우유, 치즈, 호상 요구르트, 액상 요구르트, 아이스크림 등의 우유 및 유제품은 우리 몸의 뼈와 이를 튼튼하게 하고, 신경을 안정시켜준다. 부족할 때에는 뼈가 약해진다.

노인에게는 1일 식사 때마다 우유 1컵(200g), 요구르트 1컵, 치즈 2장 중에서 선택하여 제공하는 것이 적당하다.

5) 5층 : 유지·견과 및 당류

식용유, 버터, 마요네즈, 탄산음료, 설탕 등의 유지 및 당류군은 우리 몸에서 힘을 내고 체온을 유지 시켜준다. 당류는 과잉 섭취 시에는 비만이 생기고 당뇨병의 원인이 된다.

치매를 예방하기 위해서는 오메가3나 올리브유 같은 기름의 섭취가 필요하다. 뿐만 아니라 뇌의 기능을 활성화를 돕는 견과류를 지속적으로 먹는 것이 좋다.

4. 치매예방을 위한 식단 구성

식품 구성탑에 근거하여 치매예방과 지연을 위하여 식단을 구성할 때는 다음에 유의하는 것이 좋다.

❶ 식사는 식이섬유가 많은 현미나 잡곡, 콩이 들어간 밥을 제공하는 것이 좋다.

❷ 국은 된장, 두부, 미역이 들어간 조리로서 소금의 양을 적게 하여 심심하게 조리하여 제공한다.

❸ 반찬에는 계란이나 생선, 다진 고기, 콩을 사용하여 씹기가 좋은 반찬을 제공하는 것이 좋다.

❹ 반찬에는 반드시 채소가 들어가 있는 반찬을 한 가지씩 제공한다.

❺ 간식으로는 매일 과일, 요구르트, 고구마, 견과류 등을 제공한다.

<표 10-1> 치매예방과 지연을 위한 식단

구 분	내 용
밥	현미와 잡곡 또는 곡류를 포함한 밥 이가 약해 씹기가 어려운 분들에게는 죽으로 제공 식이섬유와 비타민 등 무기질 제공
국	된장, 두부, 미역이 들어간 조리 소금의 양을 적게 하여 심심하게 조리
반찬	계란이나 생선, 다진 고기, 콩을 사용하여 씹기가 좋은 반찬
반찬	채소를 이용하여 오래 두고 먹어도 되는 김치나 나물류를 이용한 반찬
간식	과일, 요구르트, 고구마, 견과류

5. 알츠하이머형 치매예방을 위한 식단

알츠하이머 치매와 같은 퇴행성 치매 예방에 특출한 방법은 없으며, 알츠하이머 치매는 한번 걸리면 완치가 어려운 것으로 알려져 있다. 그러나 요즈음 알츠하이머형 치매는 적색육, 가공육, 정제된 곡물, 고칼로리가 특징인 서구식 식단 등을 섭취하게 되면, 베타 아밀로이드 단백질이 뇌에 쌓이게 되어 치매 발생률을 높이는 것으로 관련 학계에서는 발표하고 있다.

따라서 먹는 음식을 가지고 알츠하이머 치매를 예방하기 위한 노력들이 다각적으로 전개되고 있다. 그 중에 주목해볼만한 내용은 미국 콜롬비아대학 연구진이 식습관과 치매 발병과의 상관관계를 분석한 결과 오메가3 지방산과 비타민을 많이 섭취한 노인은 그렇지 않은 노인보다 치매를 겪을 위험이 40퍼센트 정도 더 낮은 것으로 나타났다.

이러한 결과를 바탕으로 미국 시카고 러쉬 대학 연구팀은 '마인드' 식단을 개발하여 성인들을 대상으로 지속적으로 섭취하게 하는 연구 결과 알츠하이머병 치매의 위험률이 54%나 낮은 것으로 나타났다.

'마인드(MIND, Mediterranean-DASH Intervention for Neurodegenerative Delay)'는 지중해 식단과 고혈압 환자를 위한 대시(DASH) 식단을 합친 식단이다. 마인드 식단의 특징은 녹색 잎 채소, 견과류, 열매, 콩, 전체 곡물, 생선, 가금류, 올리브 기름, 와인 등 총 10가지 식품군을 먹는 것으로 되어 있다.

1) 단백질
마인드 식단에선 단백질의 섭취가 중요하여 단백질이 풍부한 콩류를 일주일에 최소 세 번을 섭취하도록 하고 있다. 통곡물(속겨를 벗기지 않은 곡물)은 하루 세 번, 생선은 주 1회, 닭고기는 일주일에 2번을 섭취한다.

2) 채소

채소는 항산화 물질이 풍부하여 항염과 항산화 효과가 있기 때문에 하루 식사에서 두 번씩 채소를 섭취하도록 하고 있다. 일반적으로 많은 종류의 채소를 섭취해도 되지만 특히 녹색 채소인 케일과 시금치를 마인드 식단에선 권하고 있다.

3) 견과류

견과류는 지방 함량이 높아 뇌 건강을 위한 필수 간식으로, 일주일에 다섯 번 섭취를 권하고 있다.

4) 베리류

블루베리, 라즈베리 등 각종 베리류는 강력한 항산화제인 안토시아닌이 풍부여 일주일에 두 번 이상 섭취하는 것을 권하고 있다. 폴리페놀의 일종인 안토시아닌은 산화 후 발생하는 활성산소 제거에 뛰어나다. 미세혈관까지 항산화성분을 전달해 뇌혈관의 손상과 노화를 막아, 두뇌활동을 최상으로 유지시키며 알츠하이머 질환과 관련된 증상을 완화하는 데에 도움이 된다.

5) 올리브 오일

올리브 오일은 뇌에 좋은 영향을 주기 때문에 자주 먹는 것이 좋아, 모든 요리에 올리브 오일을 사용하도록 권하고 있다. 올리브 오일은 하이드록시타이로솔이라는 화학물질을 함유하여 기억력을 향상시켜 알츠하이머병의 위험을 감소시켜 주는 역할을 한다.

6) 와인

와인은 뇌 건강을 향상시켜 주는 것으로 하루 한 잔 정도 섭취하는 것이 좋다. 포도에 풍부한 레스베라트롤 성분이 뇌 조직의 노화를 늦추는 역할을 한다.

6. 혈관성 치매예방을 위한 식단

혈관성 치매는 고혈압과 뇌동맥 경화증, 당뇨병 등에 의한 뇌혈관 장애로부터 이차적으로 뇌세포에 변성을 일으키는 것을 말하며 다발성 뇌경색이라고도 한다. 혈관성 치매는 뇌에 피를 공급하는 뇌혈관들이 막히거나 좁아진 것이 원인이 되어 나타나거나, 뇌 안으로 흐르는 혈액의 양이 줄거나 막혀 발생하게 된다.

혈관의 노화는 뇌에 피를 공급하는 뇌혈관들이 막히거나 좁아지게 하여 혈관성 치매의 주원인이 된다. 또한 뇌혈관이 튼튼하지 못하면 알츠하이머 치매와 같은 퇴행성 치매에도 나쁜 영향을 끼친다. 노화의 주범인 활성산소도 뇌세포 노화와 혈관 노화의 원인이 된다. 따라서 치매를 예방하려면 혈관을 튼튼하게 하고, 그 혈관을 통해 신선한 혈액을 공급하고, 뇌를 혹사 시키지 않는 범위 내에서 최대한 많이 사용하는 것이 좋다.

뇌의 노화를 늦추는 식단의 핵심은 동맥경화를 예방하고, 뇌세포에 충분한 영양을 공급하고, 나쁜 활성산소의 생성을 줄이고 제거하는 데에 있다. 뇌의 노화의 원인을 보면 다음과 같다.

❶ 과식이나 육류의 과다 섭취는 비만, 고혈당, 고지혈증, 고혈압 등과 함께 동맥경화를 일으키고 피를 진하게 하여 뇌경색을 일으키는 원인이 된다.
❷ 과다한 염분 섭취는 고혈압을 악화시키고 동맥경화를 가속화시켜 뇌에 나쁜 영향을 준다.
❸ 육류의 기름에는 포화지방산과 콜레스테롤이 다량 함유되어 있어 작은 혈관을 좁게 하거나 막히게 하여 치매를 유발하게 된다.

❹ 활성산소는 불안정하여 다른 물질에 산화작용을 일으키고 신진대사를 방해하여 결국 세포가 활력을 잃고 노화가 촉진하게 하는데, 뇌에도 나쁜 영향을 준다.

따라서 혈관성 치매를 예방하기 위해서는 무엇보다 혈관을 건강하게 하고 신선한 혈액을 공급해야 하는데 이를 위해서는 다음과 같이 식사를 해야 한다.

❶ 육식보다는 채식을 주로 섭취해야 한다.

❷ 몸에 좋은 오메가3나 올리브 오일을 먹는 것이 좋다.

❸ 모든 음식에서 염분을 줄여서 음식을 덜 짜게 먹어야 한다.

❹ 활성산소를 없애주는 비타민 E·비타민 C·폴리페놀 등의 항산화 물질이 많이 들어 있는 채소나 과일을 섭취해야 한다.

제11장 치매 진단과 검사

1. 치매 선별 검사

1) 검사 개요

• 치매 선별 검사(IDST; I-World Dementia Screening Test)는 아이월드교육연구소에서 개발한 검사지로, 치매가 의심되는 대상자를 선별할 때 사용한다.

• 치매 선별 검사는 치매의 정도를 밝혀내고 측정하는 것을 목적으로 만든 검사지다.

2) 문항 분석

• 검사지는 총 30문항으로 구성되어 있다.

• 1번 문항부터 6번 문항까지는 지남력을 묻는 문항이다.

• 7번 문항부터 11번 문항까지는 기억력을 묻는 문항이다.

• 12번 문항부터 14번 문항까지는 행동능력을 묻는 문항이다.

• 15번 문항부터 18번 문항까지는 계산력을 묻는 문항이다.

• 19번 문항부터 22번 문항까지는 시공간력을 묻는 문항이다.

• 23번 문항부터 26번 문항까지는 지각력을 묻는 문항이다.

• 27번 문항부터 30번 문항까지는 판단력을 묻는 문항이다.

3) 검사 시작 전 주의사항

• 치매 선별 검사는 반드시 일대일로 해야 하며, 검사자가 피검자에게 직접 문제를 읽어 주면서 한 문제씩 검사에 피검자가 글을 쓰지 못할 경우에는 답을 말로 하거나, 글을 쓸 줄 알면 적는 방식으로 진행해야 한다.

• 검사를 효과적으로 하기 위해서는 먼저 검사를 시작하면서 '치매검사'라고

말하지 말고 "지금부터 ㅇㅇㅇ님의 인지능력을 알아보기 위해 몇 가지 질문을 드리겠습니다. 질문 중 몇 가지는 쉽지만 몇 가지는 어려울 수도 있습니다"라고 말해야 부정적인 생각을 갖지 않고 검사에 임할 수 있게 된다.

• 한 문항당 배점은 1점임을 알려주고, 피검자가 답변을 "모른다"라고 대답한 경우 틀렸다고 채점하지 말고 응답을 할 수 있도록 요구해야 한다.

• 검사를 하는 동안 검사자는 피검자가 스트레스 없이 검사를 마칠 수 있도록 격려하고, 잘 마치지 못할 경우 적절히 위로해주어야 한다. 또한 문제에 대한 답을 정확히 했을 때는 긍정적인 피드백을 해주어야 문제해결에 도움이 된다.

• 검사 시간은 30분이며, 문항당 1분 정도를 배정한다. 피검자가 진로가 빠르면 일찍 끝낼 수 있으나, 피검자가 집중이 잘 나지 않아서 시간이 지체되어도 30분 안에는 끝내야 한다.

• 각 문항에 대해 응답하면 1점, 응답하지 못하면 0점을 부여하여 총점은 30점이다.

• 검사지를 판정할 때는 정답 여부를 알려줘서는 안 되며 채점된 점수는 피검자가 볼 수 없도록 해야 한다.

4) 검사진행 요령
-문항 1. 지금은 몇 년도 입니까?

• 해당 연도만 정답으로 하며 '병신년'은 오답으로 한다. 만약 피검자가 '병신년' 이라고 한 것이 실제로 맞더라도 "숫자로 대답해보세요"라고 재질문하여 숫자로 연도를 대답하는 경우에만 정답으로 처리한다.

• 정확하게 4자리 숫자로 대답을 해야 정답으로 하며, 4자리 모두 답하지 못하는 경우에는 구체적으로 대답하도록 다시 질문한다. 만약 2018년을 '18년'이라고 대답하면 틀린 답이므로 4글자로 답하게 한다.

－문항 2. 지금은 무슨 계절입니까?
* 계절에 대한 기간을 정해주지 않으면 답하기가 어렵기 때문에 계절에 대한 기간을 알려준다.
* 3월 4월 5월을 봄, 6월 7월 8월을 여름, 9월 10월 11월을 가을, 12월 1월 2월을 겨울로 한다.
* ±2주의 간격 범위에서 앞으로 올 계절 또는 지나간 계절을 대답해도 정답<u>으로</u> 한다.

－문항 3. 현재 대통령의 이름은 무엇인가요?
* 현재 대통령의 이름을 말하거나 적도록 한다.

－문항 4. 가장 친한 친구의 이름은 무엇인가요?
* 친구의 이름을 말하거나 적도록 한다.

－문항 5. 내가 사는 곳은 어느 시/군입니까?
* 피검사자가 사는 곳의 시/군의 명칭을 적도록 한다. 구가 있는 경우에는 구까지 적도록 한다. 예를 들어 '고양시 일산동구'에 산다면 '고양시 일산동구'로 말하거나 적도록 한다.

－문항 6. 내가 사는 곳은 동/읍/면입니까?
* 피검사자가 사는 곳의 동/읍/면의 명칭을 적도록 한다. 예를 들어 '백석동'에 산다면 '백석동'으로 적거나 답하게 한다.

－문항 7. 검사자가 말한 물건은 무엇인가요?
* 검사자는 "피검사자에게 제가 말한 것을 기억해서 검사지에 적어 보세요"라고 말하고 '고구마'라고 말한다. 그리고 "제가 금방 무엇이라고 말했나요? 말

하거나 적어보세요"라고 한다.

－문항 8. 어제는 무엇을 했나요?
● 어제 한 일을 적도록 한다. 특별히 한 일이 없으면 일상적인 일이라도 말하거나 적어보도록 한다.
● 어제 한 일이 여러 가지가 있다면 그 중에서 가장 기억에 남는 일을 말하거나 적도록 한다.
● 한 일은 "등산", "가족과 식사", "밭일"과 같이 간단하게 말하거나 적어도 된다.

－문항 9. 아침 식사는 무엇을 했나요?
● 오늘 아침은 무엇을 먹었는지 말하거나 적도록 한다.
● '밥', '라면', '국수', '죽' 또는 '게장', '삼겹살' 등 특이한 음식을 말하거나 적어도 된다.

－문항 10. 자주 물건을 어디에 두었는지를 잃어버리나요?
● 요즘 자신이 사용하던 물건을 어디에 두었는지 기억이 잘 나지 않으면 '⓪'을 선택하게 하고, 기억이 잘 나면 '①'을 선택하게 한다.
● ①을 선택하거나 자주 잃어버리지 않으면 1점, ⓪을 선택하거나 자주 잃어버리면 0점으로 한다.

－문항 11. 조금 전에 검사자가 말한 물건은 무엇인가요?
● 검사자는 조금 전에 제가 말하고 적으라고 한 것이 무엇이었는지 기억해서 검사지에 말하거나 적어보세요."라고 한다.

-문항 12. 왼손을 내밀어 보세요.

• 검사자가 지시한 행동을 따라 하게 함에 따라 행동능력을 알아보기 위한 문항이다.

• 왼손을 내밀면 1점, 그렇지 않으면 0점으로 한다.

-문항 13. 주먹을 쥐어보세요.

• 검사자가 지시한 행동을 따라 하게 함에 따라 행동능력을 알아보기 위한 문항이다.

• 내밀은 손을 주먹 쥐면 1점, 그렇지 않으면 0점으로 한다.

-문항 14. 왼쪽 귀를 만져보세요.

• 검사자가 지시한 행동을 따라 하게 함에 따라 행동능력을 알아보기 위한 문항이다.

• 내밀은 손으로 왼쪽 귀를 만지면 1점, 그렇지 않으면 0점으로 한다.

-문항 15. 100에서 8을 빼면 얼마인가요?

• 100-8을 묻는 문항이다.

• '92'라고 답하면 1점, 그렇지 않으면 0점으로 한다.

-문항 16. 거기서 5를 더하면 얼마인가요?

• 92+5를 묻는 문항이다.

• 피검자가 계산을 잘 못한다고 해서 "92에서 5를 더하면 얼마입니까?"라는 힌트를 주지 않는다.

• '97'이라고 답하면 1점, 그렇지 않으면 0점으로 한다.

–문항 17. 국수 1,000원짜리 3봉을 사려면 얼마의 돈이 필요한가요?

● 화폐의 가치를 계산하는 문항이다.

● '3,000원'이라고 답하면 1점, 그렇지 않으면 0점으로 한다.

–문항 18. 10,000원으로 5,000원짜리 과자를 몇 개 살 수 있나요?

● 화폐의 가치를 계산하는 문항이다.

● '2개'라고 답하면 1점, 그렇지 않으면 0점으로 한다.

–문항 19. 를 왼쪽으로 반바퀴(90°) 돌리면 어떻게 되나요?

● 도형의 방향을 인식하는 문항이다.

● 카메라 도형을 왼쪽으로 반바퀴 돌리면 가 된다.

–문항 20. 을 위에서 보면 어떻게 보이는지 그려보세요.

● 도형을 위에서 본 것을 그려보는 문항이다.

● 가 답이다.

–문항 21. 차의 방향이 다른 것을 골라 보세요.

● 도형의 방향이 다른 것을 찾는 것으로 시공간력을 발휘하는 것을 알아보기 위한 문항이다.

● 가 정답이 된다.

-문항 22. 삼각형을 2개를 겹치게 그려보세요.
• 도형의 형태나 크기를 구분하기 위해서 시공간력을 발휘하는 것을 알아보기 위한 문항이다.

• 가 답이다.

-문항 23. 식초를 먹으면 어떤 느낌이 듭니까?
• 식초를 먹었을 때 어떤 느낌이 드는지 미각을 알아보기 위한 문항이다.
• "시다"나 이와 비슷하게 답하면 정답이다.

-문항 24. 참기름 냄새를 맡으면 어떤 느낌이 듭니까?
• 참기름 냄새를 맡았을 때 어떤 느낌이 드는지 후각을 알아보기 위한 문항이다.
• "고소하다"나 이와 비슷하게 답하면 정답이다.

-문항 25. 검사자가 보여준 물건의 이름을 적어보세요.
• 검사자가 보여준 물건을 피검사자가 정확히 인식하는지 시각을 알아보기 위한 문항이다.
• 미리 준비한 '지갑'을 보여주고 "이것이 무엇인지 말하거나 적어보세요?"라고 한다.

-문항 26. 검사자가 불러 준 문장을 말해보세요.
• 검사자가 문제를 풀기 전에 "지금부터 제가 하는 말에 귀를 기울였다가 똑같이 말하거나 적어보세요. 한번만 말씀 드리겠습니다"라고 말한다.
• 검사자가 보통의 목소리로 "왕사장 왕바지 핫바지"라고 불러 주고 답을

말하거나 적어보게 한다.
- 한 번만 말해준다.

－문항 27. 뜨거운 냄비를 집을 때는 어떻게 해야 하나요?
- "화상을 입을 수 있으니 조심해서 잡아야 한다", "집게나 행주를 이용해서 잡아야 한다"로 답하면 맞는 것으로 하고, 이러한 내용이 들어가면 맞는 것으로 한다.

－문항 28. 횡단보도로 찻길을 건널 때는 어떻게 해야 합니까?
- "차가 오는지 확인하고 건너야 한다", "파란불이 켜지면 건넌다"로 답하면 맞는 것으로 하고, 이러한 내용이 들어가면 맞는 것으로 한다.

－문항 29. 길을 가는데 비가 오면 어찌해야 하나요?
- "우산을 쓴다", "비를 피한다"로 답하면 맞는 것으로 하고, 이러한 내용이 들어가면 맞는 것으로 한다.

－문항 30. 집을 나올 때 켜져 있던 전등은 어떻게 해야 합니까?
- "전등을 끄고 나온다", "전기를 절약해야 한다"로 답하면 맞는 것으로 하고, 이러한 내용이 들어가면 맞는 것으로 한다.
- 답한 것이 맞으면 1점, 그렇지 않으면 0점으로 한다.

4) 판정 기준
총점은 성별, 연령, 교육 년수에 따라 아래와 같이 적용하는 기준이 다르다.

<11-1> 치매 선별 검사 결과 판정 기준

연령	성별	교 육 년 수(교육정도)			
		0~3년	4~6년(초졸)	7~12년(중~고졸)	≥13년(대학이상)
60~69 세	남	21점	23점	25점	26점
	여	20점	23점	25점	26점
70~74 세	남	20점	23점	25점	26점
	여	19점	23점	25점	26점
75~79 세	남	19점	22점	24점	25점
	여	18점	22점	24점	25점
≥80세	남	17점	21점	23점	24점
	여	16점	20점	22점	24점

총점이 기준 점수를 초과할 시는 인지적 정상으로 판정하며, 기준 점수 이하 시 인지 저하로 평가한다. 인지 저하로 판명된 경우에는 정밀한 검사를 위해서 병·의원에 의뢰하는 것이 좋다.

<11-2> 치매 선별 검사 결과 판정 결과

구분	내용
인지적 정상	– 총점이 판정 기준 점수를 초과한 것으로 치매 가능성이 낮다. – 인지기능이 비교적 잘 유지되고 있으며 치매 가능성이 낮다. 그러나 이후 기억력이나 기타 지적능력이 지금보다 좀 더 나빠지는 느낌이 있다면 다시 검사를 받아보도록 안내해야 한다.
인지 저하	– 총점이 판정 기준 점수 이하인 경우로, 치매 가능성이 높다. – 인지 기능이 다른 어르신에 비해 저하되어 있으며 치매안심센터 또는 치매검진전문기관에서 정밀검진을 받아보시는 것이 필요하다.

치매선별 검사(IDST)

성 명		출생연도		성별	남/여	교육연수	년
검사일		총 점		판 정			

1.	지금은 몇 년도 입니까?	0	1
2.	지금은 무슨 계절입니까?	0	1
3.	현재 대통령의 이름은 무엇인가요?	0	1
4.	가장 친한 친구의 이름은 무엇인가요?	0	1
5.	내가 사는 곳은 어느 곳입니까? ① 서울특별시 ② 광역시 ③ 시 ④ 군	0	1
6.	내가 사는 곳은 어느 동/읍/면입니까?	0	1
7.	검사자가 말한 물건은 무엇인가요? 고구마	0	1
8.	어제는 무엇을 했나요?	0	1
9.	아침 식사는 무엇을 했나요?	0	1

10. 자주 물건을 어디에 두었는지를 잃어버리나요? 　　⓪ 네　　　　　　　① 아니요	0	1
11. 조금 전에 검사자가 말한 물건은 무엇인가요? 　　　　　　　고구마	0	1
12. 왼손을 내밀어 보세요.	0	1
13. 주먹을 쥐어보세요.	0	1
14. 왼쪽 귀를 만져보세요.	0	1
15. 100에서 8을 빼면 얼마인가요? 　　　　　　92	0	1
16. 거기에서 5를 더하면 얼마인가요? 　　　　　　97	0	1
17. 국수 1,000원짜리 3봉을 사려면 얼마의 돈이 필요한가요? 　　　　　3,000원	0	1
18. 10,000원으로 5,000원짜리 과자를 몇 개 살 수 있나요? 　　　　　2개	0	1
19. 를 왼쪽으로 반바퀴(90°) 돌리면 어떻게 되나요? 	0	1
20. 을 위에서 보면 어떻게 보이는지 그려보세요.	0	1

21 차의 방향이 다른 것을 골라 보세요.   0   1

22 삼각형 2개를 겹치게 그려보세요.   0   1

23 식초를 먹으면 어떤 느낌이 듭니까?   0   1
                     시다

24 참기름 냄새를 맡으면 어떤 느낌이 듭니까?   0   1
                    고소하다

25 검사자가 보여준 물건의 이름을 말해보세요.   0   1
                     지갑

26 검사자가 불러 준 문장을 똑같이 말해보세요.   0   1
              왕사장 왕바지 핫바지

27 뜨거운 냄비를 집을 때는 어떻게 해야 하나요?   0   1

28 횡단보도로 찻길을 건널 때는 어떻게 해야 합니까?   0   1

29 길을 가는데 비가 오면 어찌해야 하나요?   0   1

30 집을 나올 때 켜져 있던 전등은 어떻게 해야 합니까?   0   1

2. 우울증 검사

1) 검사 개요

우울증 검사(IDDT; I-World Depressive Disorder Test)는 국내의 아이월드교육연구소에서 개발한 검사지로 우울증의 진행 정도를 알아보기 위한 검사지로, 우울증이 의심되는 대상자를 선별할 때 사용한다.

우울증 검사는 자신이 가지고 있는 우울감의 상태를 객관적으로 평가해보는 심리검사를 말한다. 우울증 검사를 하는 목적은 우울증의 원인을 찾아서 자존감을 높이기 위한 준거점을 찾기 위한 것이므로 되도록 객관적으로 평가를 해야 한다.

2) 문항 분석

- 검사지는 총 20문항으로 구성되어 있다.
- 문항은 자기 평가 문항으로 문항에 대한 일반적인 자기의 느낌을 5단계로 체크하도록 되어 있다.
- 각 문항에 대해 평상시 자신의 느낌이나 태도를 <전혀 아니다>에서 <아주 그렇다>까지 자신을 잘 나타내는 정도를 5단계로 솔직하게 모든 문항에 체크해야 한다.
- 점수 환산은 <전혀 아니다>는 1점, <약간 그렇다>는 2점, <대체로 그렇다>는 3점, <그렇다>는 4점, <아주 그렇다>는 5점으로 계산하여 각 점수를 합쳐 총점을 계산한다.
- 검사 시간은 20분이다.

3) 해설

총점 결과에 따라 다음과 같이 해석하면 된다.

<11-3> 우울증 검사 결과 분석

구분	내용
85점 이상	우울증이 없으며 자존감이 아주 높은 편이다.
70~84점	우울증이 조금 있으며 긍정적인 생각을 갖도록 조언한다.
60~69점	우울증이 많으며 자존감을 높여 주어야 한다.
50~59점	우울증이 높은 편이서 대인관계에 문제가 생길 수 있으므로 자존감을 높이도록 해야 한다.
49점 이하	우울증이 매우 높은 편이며, 자존감 향상 훈련이 필요하다.

우울증 검사(IDDT)

성 명		출생연도		성별	남/여	검사일	20 년 월 일
검사자		총 점		판 정			

번호	문항	점수				
		5	4	3	2	1
1	나는 내가 다른 사람들처럼 가치 있는 사람이라고 생각한다.					
2	나는 좋은 성격을 가졌다고 생각한다.					
3	나는 대부분의 다른 사람들과 같이 잘 지낼 수가 있다.					
4	나는 가치가 높은 존재라고 생각한다.					
5	나의 성격은 긍정적이다.					
6	나는 내 자신에 대하여 대체로 만족한다.					
7	나는 능력이 많다고 생각한다.					
8	나는 나를 사랑한다.					
9	나는 내가 무엇을 해야 할지 정확히 알고 있다.					
10	나는 무엇을 하든 자신감이 있다.					
11	나는 내 자신의 의견이나 생각을 확실히 표현한다.					
12	나는 모든 것이 잘될 것이라고 생각한다.					
13	나는 실수나 실패를 두려워하지 않는다.					
14	나는 도전하는 것을 좋아한다.					
15	나는 부족한 것이 별로 없다고 생각한다.					
16	나는 나를 스스로 칭찬하고 격려한다.					
17	나는 다른 사람들로부터 존중받기를 원한다.					
18	나는 다른 사람들 앞에서도 당당하다.					
19	나는 다른 사람들을 배려한다.					
20	나는 다른 사람들을 인정한다.					

3. 기억력 검사

1) 검사 개요

기억력 검사(IMT; I-World Memory Test)는 국내의 아이월드교육연구소에서 개발한 검사지로 기억력의 정도를 알아보기 위한 검사지로, 치매가 의심되는 대상자를 선별할 때 사용한다.

기억력 검사는 자신의 기억력 상태를 객관적으로 평가해보는 심리검사를 말한다. 기억력 검사를 하는 목적은 기억력의 정도로 치매의 진행정도를 파악하기 위해서 한다.

2) 문항 분석

● 검사지는 총 20문항으로 구성되어 있다.

● 1번 문항부터 12번 문항까지는 단기기억을 묻는 문항이며, 11번 문항부터 20번 문항까지는 장기기억을 묻는 문항이다.

3) 검사 시작 전 주의사항

● 기억력 검사는 반드시 일대일로 해야 하며, 검사자가 피검자에게 직접 문제를 읽어 주면서 한 문제씩 검사에 글을 쓰지 못하는 피검자는 말로 하거나, 글을 쓸 줄 아는 피검자는 적는 방식으로 진행한다.

● 검사를 효과적으로 하기 위해서는 먼저 검사를 시작하면서 "지금부터 000님의 기억력을 알아보기 위해 몇 가지 질문을 드리겠습니다. 질문 중 몇 가지는 쉽지만 몇 가지는 어려울 수도 있습니다"라고 말해야 부정적인 생각을 갖지 않고 검사에 임할 수 있게 된다.

● 한 문항당 배점은 1점임을 알려주고, 피검자가 답변을 "모른다"라고 대답한 경우 틀렸다고 채점하지 말고 응답을 할 수 있도록 요구해야 한다.

● 검사를 하는 동안 검사자는 피검자가 스트레스 없이 검사를 마칠 수 있도록 격려하고, 잘 마치지 못할 경우 적절히 위로해주어야 한다. 또한 문제에 대한 답을 정확히 했을 때는 긍정적인 피드백을 해주어야 문제해결에 도움이 된다.

● 검사 시간은 20분이며, 문항당 1분 정도를 배정한다. 피검자가 진로가 빠르면 일찍 끝낼 수 있으나, 피검자가 기억이 잘 나지 않아서 시간이 지체되어도 15분 안에는 끝내야 한다.

● 각 문항에 대해 응답하면 1점, 응답하지 못하면 0점을 부여하여 총점은 20점이다.

● 검사지를 판정할 때는 채점된 점수는 피검자가 볼 수 없도록 해야 한다.

4) 검사진행 요령
－문항 1. 최근에 만난 사람은 누구입니까?
● 최근에 만난 사람이란 지금부터 이전에 만난 사람을 말한다.
● 배우자나 가족도 해당된다.
● 만난 사람이 있다면 그 사람의 호칭이나 이름을 기억해 말로 하거나 적도록 한다.
● 만난 사람을 기억해서 이름이나 호칭을 기억해 내면 1점, 만난 사람이 있는데도 기억해 내지 못하면 0점으로 한다.
● 이전에 만난 사람이 없다면 지금 만난 검사자로 해도 된다.

－문항 2. 그 사람과 나눈 대화는 무엇인가요?
● 최근에 만난 사람과 어떤 대화 내용을 나누었는지를 말로 하거나 적도록 한다.
● 대화 내용을 자세하게 적어도 되지만 '안부', '식사', '가족'과 같이 주제만 적어도 된다.
● 대화한 내용을 기억해 내면 1점, 기억해 내지 못하면 0점으로 한다.

−문항 3. 어제는 무엇을 했나요?

• 어제 한 일을 적도록 한다. 특별히 한 일이 없으면 일상적인 일이라도 적도록 한다.

• 어제 한 일이 여러 가지가 있다면 그 중에서 가장 기억에 남는 일을 적도록 한다.

• 한 일은 "등산", "가족과 식사", "밭 일"과 같이 간단하게 말로 하거나 적어도 된다.

• 어제 한 일을 기억해 내면 1점, 기억해 내지 못하면 0점으로 한다.

−문항 4. 아침 식사는 무엇을 했나요?

• 오늘 아침은 무엇을 먹었는지 적도록 한다.

• '밥', '라면', '국수', '죽' 또는 '게장', '삼겹살' 등 특이한 음식을 말로 하거나 적도록 한다. 된다.

• 아침에 먹은 것을 기억해 내면 1점, 기억해 내지 못하면 0점으로 한다.

−문항 5. 어제는 몇 시에 잤나요?

• 어제 취침하기 위해서 몇 시에 잤는가를 말로 하거나 적도록 한다.

• 시간은 되도록 아라비아 숫자로 적도록 하며, 분은 안 적어도 된다.

• 잠잔 시간을 기억해 내면 1점, 기억해 내지 못하면 0점으로 한다.

−문항 6~8. 검사자가 말한 3가지 물건의 이름은 무엇인가요?

• 검사자는 피검자에게 "지금부터 제가 말하는 3가지 물건의 이름을 반드시 끝까지 들으시고, 세 가지 이름을 한꺼번에 따라 해보세요"라고 하고 '시계', '장갑', '지팡이'라고 세 단어를 한꺼번에 불러주고 따라 하도록 한다.

• 피검자가 '시계'하면 '시계'하고 단어 하나하나를 따라 하는 경우가 많은데 반드시 '끝까지 듣고' 부분을 강조한다.

• 점수 계산은 첫 응답으로만 정답을 평가하며, 성공적으로 대답한 단어 한

개당 1점으로 채점한다. 단어의 순서는 상관하지 않는다.

‒ 문항 9. 가지고 있던 소지품을 자주 잃어버리나요?
• 요즘 자신이 가지고 있던 소지품(지갑, 핸드폰, 안경 등)을 자주 잃어버리면 ‘◎’을 선택하게 하고, 잃어버리지 않으면 ‘①’을 선택하게 한다.
• ①을 선택하거나 자주 잃어버리지 않으면 1점, ◎을 선택하거나 자주 잃어버리면 0점으로 한다.

‒ 문항 10~12. 세 가지 물건 말해보기
• 점수 계산은 첫 응답으로만 정답을 평가하며, 성공적으로 대답한 단어 한 개당 1점으로 채점한다. 단어의 순서는 상관하지 않는다.

‒ 문항 13. 우리나라에서 사람이 가장 많이 사는 도시는 어디입니까?
• ‘서울’을 기억해 내면 1점, 기억해 내지 못하면 0점으로 한다.

‒ 문항 14. 불이 나면 어디로 신고해야 하나요?
• ‘119’, ‘소방서’를 기억해 내면 1점, 기억해 내지 못하면 0점으로 한다.

‒ 문항 15. 물건의 이름이 자주 기억나지 않나요?
• 일상생활을 하면서 물건의 이름이 자주 기억나지 않으면 ‘◎’을 선택하게 하고, 기억이 잘나면 ‘①’을 선택하게 한다.
• ①을 선택하거나 기억이 잘나면 1점, ◎을 선택하거나 자주 기억나지 않으면 0점으로 한다.

‒ 문항 16. 집에 가는 길을 잃어버린 적이 있나요?
• 밖에 나왔다가 집에 가는 길을 잃어버린 적이 있으면 ‘◎’을 선택하게 하고, 길을 잃은 적이 없으면 ‘①’을 선택하게 한다.

• ①을 선택하거나 길을 잃은 적이 없으면 1점, ⓪을 선택하거나 길을 자주 잃어버리면 0점으로 한다.

－문항 17. 나의 전화번호는 어떻게 되나요?
• 자신의 전화번호를 말로 하거나 적도록 한다.
• 자신의 전화번호를 기억해 내면 1점, 기억해 내지 못하면 0점으로 한다.

－문항 18~20. 세 가지 물건 말해보기
• 점수 계산은 첫 응답으로만 정답을 평가하며, 성공적으로 대답한 단어 한 개당 1점으로 채점한다. 단어의 순서는 상관하지 않는다.

5) 판정 기준
기억력 검사 결과 판정은 다음과 같이 한다.

<11-4> 검사 결과 판정 기준

점수	0~9점	10~15점	16~20점
구분	심각한 기억력 저하	경미한 기억력 저하	정상

총점이 기준 점수에 따라 16~20점은 정상으로 판정하며, 10~15점은 경미한 기억력 저하로 평가하며, 0~9점은 심각한 기억력 저하로 평가한다. 경미한 기억력 저하로 판명된 경우에는 기억력을 높이기 위해서 인지훈련이 필요하다. 심각한 기억력 저하는 정밀한 검사를 위해서 전문기관에 의뢰하는 것이 좋다.

<11-5> 기억력 검사 결과 판정 결과

구분	내용
정상	– 총점이 판정 기준 점수를 초과한 것으로 정상이다. – 인지기능이 비교적 잘 유지되고 있으며 정상적이다. 그러나 이후 기억력이나 기타 지적능력이 지금보다 좀 더 나빠지는 느낌이 있다면 다시 검사를 받아보도록 안내해야 한다.
경미한 기억력 저하	– 총점이 판정 기준 점수 이하인 경우로, 기억력이 떨어진다. – 인지기능이 평균에 비해 저하되어 있으며 기억력을 높이기 위해서 인지훈련이 필요하다.
심각한 기억력 저하	– 기억력이 심각하게 떨어져 있다. – 전문기관에서 정밀검진을 받아보는 것이 필요하다.

기억력 검사(IMT)

성 명		출생연도		성별	남/여	검사일	20 년 월 일
검사자		총 점		판 정			

1.	최근에 만난 사람은 누구입니까?	0	1
2.	그 사람과 나눈 대화는 무엇인가요?	0	1
3.	어제는 무엇을 했나요?	0	1
4.	아침 식사는 무엇을 했나요?	0	1
5.	어제는 몇 시에 잤나요?	0	1
6.	검사자가 말한 3가지 물건의 이름은 무엇인가요? ①	0	1
7.	②	0	1
8.	③	0	1
9.	가지고 있던 소지품을 자주 잃어버리나요? ⓪ 네 ① 아니요	0	1
10.	아까 검사자가 말한 첫 번째 물건은 무엇인가요?	0	1
11.	아까 검사자가 말한 두 번째 물건은 무엇인가요?	0	1

12. 아까 검사자가 말한 세 번째 물건은 무엇인가요?	0 1
13. 우리나라에서 사람이 가장 많이 사는 도시는 어디입니까?	0 1
14. 불이 나면 어디로 신고해야 하나요?	0 1
15. 물건의 이름이 자주 기억나지 않나요? ⓪ 네 ① 아니요	0 1
16. 집에 가는 길을 잃어버린 적이 있나요? ⓪ 네 ① 아니요	0 1
17. 나의 전화번호는 어떻게 되나요?	0 1
18. 아까 검사자가 말한 첫 번째 물건은 무엇인가요?	0 1
19. 아까 검사자가 말한 두 번째 물건은 무엇인가요?	0 1
20. 아까 검사자가 말한 세 번째 물건은 무엇인가요?	0 1

4. 지남력 검사

1) 검사 개요

지남력 검사(IOT; I-World Orientation Test)는 국내에서 개발한 검사지로 지남력의 정도를 알아보기 위한 검사지로, 치매가 의심되는 대상자를 선별할 때 사용한다.

지남력 검사는 자신과 관련된 날짜, 날씨, 시간, 장소 등을 인식하고 있는 상태를 객관적으로 평가해보는 심리검사를 말한다.

2) 문항 분석

● 검사지는 총 15문항으로 구성되어 있다.

3) 검사 시작 전 주의사항

● 지남력 검사는 반드시 일대일로 해야 하며, 검사자가 피검자에게 직접 문제를 읽어 주면서 한 문제씩 검사에 글을 쓰지 못하는 피검자는 말로 하거나, 글을 쓸 줄 아는 피검자는 적는 방식으로 진행한다.

● 검사를 효과적으로 하기 위해서는 먼저 검사를 시작하면서 "지금부터 OOO 님의 지남력을 알아보기 위해 몇 가지 질문을 드리겠습니다. 질문 중 몇 가지는 쉽지만 몇 가지는 어려울 수도 있습니다"라고 말해야 부정적인 생각을 갖지 않고 검사에 임할 수 있게 된다.

● 한 문항당 배점은 1점임을 알려주고, 피검자가 답변을 "모른다"라고 대답한 경우 틀렸다고 채점하지 말고 응답을 할 수 있도록 요구해야 한다.

● 검사를 하는 동안 검사자는 피검자가 스트레스 없이 검사를 마칠 수 있도록 격려하고, 잘 마치지 못할 경우 적절히 위로해주어야 한다. 또한 문제에 대

한 답을 정확히 했을 때는 긍정적인 피드백을 해주어야 문제해결에 도움이 된다.

• 검사 시간은 15분이며, 문항당 1분 정도를 배정한다. 피검자가 진도가 빠르면 일찍 끝낼 수 있으나, 피검자가 기억이 잘 나지 않아서 시간이 지체되어도 15분 안에는 끝내야 한다.

• 각 문항에 대해 응답하면 1점, 응답하지 못하면 0점을 부여하여 총점은 15점이다.

• 검사지를 판정할 때는 채점된 점수는 피검자가 볼 수 없도록 해야 한다.

4) 검사진행 요령
—문항 1. 지금은 몇 시입니까?
• 현재 시간을 답하면 된다.
• 시계가 없어서 시간을 모르면 시계를 보여주고 물어본다.
• 답한 것이 맞으면 1점, 그렇지 않으면 0점으로 한다.

—문항 2. 지금은 오전, 오후, 밤 중에서 언제입니까?
• 시간을 가지고 오전, 오후, 밤을 선택하게 한다. 잘 몰라 하면 오전은 0~12시까지, 오후는 12~18시까지, 밤은 18시~06시까지라고 알려준다.
• 답한 것이 맞으면 1점, 그렇지 않으면 0점으로 한다.

—문항 3. 지금은 몇 월입니까?
• 피검자가 음력으로 답하는 경우에도 달력을 찾아서 실제와 맞으면 정답으로 한다.
• 질문을 했을 때 피검자가 스스로 '0월 0일'이라고 날짜까지 대답한 경우에 4번 질문을 하지 않고 정답으로 인정한다.
• 몇 월을 숫자 대신 '정월' 혹은 '동짓달'로 대답해도 정답으로 한다.
• 답한 것이 맞으면 1점, 그렇지 않으면 0점으로 한다.

-문항 4. 오늘은 며칠입니까?

• '15일인가 16일인가?'처럼 두 가지 답으로 고민할 때, 그중 정답이 있는 경우에는 반드시 "15일과 16일 둘 중에 어느 날인 것 같으세요?"라고 되물어 반드시 하나의 답을 선택하도록 한다.

-문항 5. 오늘은 무슨 요일입니까?

• 요일에 대한 개념을 도와줄 때는 '월요일~일요일'을 모두 보기로 들어주고 특정 요일만 언급하지 않아야 한다.

-문항 6. 아침은 몇 시에 드셨나요?

• 시간은 "몇 시 몇 분"으로 답해도 되지만 '몇 시' 만 말해도 된다.

-문항 7. 어제는 몇 시에 주무셨나요?

• 시간은 "몇 시 몇 분"으로 답해도 되지만 '몇 시' 만 말해도 된다.

-문항 8. 가장 친한 친구의 이름은 무엇인가요?

• 친구의 이름을 적거나 말하게 한다.

-문항 9. 이전 대통령의 이름은 무엇인가요?

• 이전 대통령의 이름을 적거나 말하게 한다.

-문항 10. 나는 지금 어디 있나요?

• 피검사자가 현재 있는 곳, 현재 검사를 시행하는 곳의 명칭을 적거나 말하게 한다.

• 정확한 이름이 아니더라도 통상적으로 허용되는 부분적인 이름은 정답으로

한다. 예를 들어 "고양치매안심센터"를 "치매안심센터"로 답해도 된다.

- 답을 제대로 답하면 1점, 그렇지 않으면 0점으로 한다.

-문항 11. 내가 있는 곳은 어느 곳입니까?
- 피검사자가 있는 곳을 ① 서울특별시, ② 광역시, ③ 시, ④ 군 중에서 고르도록
한다.
- 올바르게 답하면 1점, 그렇지 않으면 0점으로 한다.

-문항 12. 우리 집 화장실은 현관문에서 어디에 있나요?
- 오른쪽과 왼쪽 중에서 고르게 한다.
- 올바르게 답하면 1점, 그렇지 않으면 0점으로 한다.

-문항 13. 내가 자주 가는 병원의 이름은 무엇인가요?
- 자주 가는 병원의 이름을 말하게 한다.
- 올바르게 답하면 1점, 그렇지 않으면 0점으로 한다.

-문항 14. 내가 사는 집의 형태는 어떤가요?
- 피검사자가 사는 집의 형태를 ① 아파트 ② 단독주택 ③ 빌라 중에서 고르
도록 한다.
- 올바르게 답하면 1점, 그렇지 않으면 0점으로 한다.

-문항 15. 나는 몇 층에 사는가요?
- 피검사자가 사는 집의 층수를 말하게 한다.
- 올바르게 답하면 1점, 그렇지 않으면 0점으로 한다.

5) 판정 기준

지남력 검사 결과 판정은 다음과 같이 한다.

<11-6> 검사 결과 판정 기준

점수	0~9점	10~12점	13~15점
구분	심각한 지남력 저하	경미한 지남력 저하	정상

총점이 기준 점수에 따라 13~15점은 정상으로 판정하며, 10~12점은 경미한 지남력 저하로 평가하며, 0~9점은 심각한 지남력 저하로 평가한다. 경미한 지남력 저하로 판명된 경우에는 지남력을 높이기 위해서 인지훈련이 필요하다. 심각한 지남력 저하는 정밀한 검사를 위해서 전문기관에 의뢰하는 것이 좋다.

<11-7> 지남력 검사 결과 판정 결과

구분	내용
정상	- 총점이 판정 기준 점수를 초과한 것으로 정상이다. - 인지기능이 비교적 잘 유지되고 있으며 정상적이다. 그러나 이후 지남력이나 기타 지적능력이 지금보다 좀 더 나빠지는 느낌이 있다면 다시 검사를 받아보도록 안내해야 한다.
경미한 지남력 저하	- 총점이 판정 기준 점수 이하인 경우로, 지남력이 떨어진다. - 인지 기능이 평균에 비해 저하되어 있으며 지남력을 높이기 위해서 인지훈련이 필요하다.
심각한 지남력 저하	- 지남력이 심각하게 떨어져 있다. - 전문기관에서 정밀검진을 받아보는 것이 필요하다.

지남력 검사(IOT)

성 명		출생연도		성별	남/여	검사일	20 년 월 일
검사자		총 점		판 정			

번호	문항	0	1
1.	지금은 몇 시입니까?	0	1
2.	지금은 오전, 오후, 밤 중에서 언제입니까?	0	1
3.	지금은 몇 월입니까?	0	1
4.	오늘은 며칠입니까?	0	1
5.	오늘은 무슨 요일입니까?	0	1
6.	아침은 몇 시에 드셨나요?	0	1
7.	어제는 몇 시에 주무셨나요?	0	1
8.	가장 친한 친구의 이름은 무엇인가요?	0	1
9.	이전 대통령의 이름은 무엇인가요?	0	1
10.	나는 지금 어디 있나요?	0	1

11. 내가 사는 곳은 어느 곳입니까?	0	1
① 서울특별시 ② 광역시 ③ 시 ④ 군		
12. 우리 집 화장실은 현관문에서 어디에 있나요?	0	1
① 오른쪽 ② 왼쪽		
13. 내가 자주 가는 병원의 이름은 무엇입니까?	0	1
14. 내가 사는 집의 형태는 어떤가요?	0	1
① 아파트 ② 단독주택 ③ 빌라		
15. 나는 몇 층에 사는가요?	0	1

제12장 치매환자 간병

1. 치매환자 관리

치매환자를 둔 가족은 심한 충격에 빠지게 된다. 그렇기에 자신의 부모나, 가족이 치매에 걸렸다는 것을 믿고 싶지 않을 것이다. 그래서 잘못된 대응을 하게 되어 오히려 치매를 더욱 가속화 시키기도 하고, 오히려 환자에게 해가 되기도 한다. 따라서 치매환자를 대할 때는 당황하지 말고 대응을 잘해야 한다.

❶ 자연스럽게 대처한다.

치매로 판정받았다고 해서 갑자기 노인을 대하는 태도를 갑자기 바꾸면 치매환자도 충격에 빠지거나 당황하게 된다. 따라서 평상시처럼 자연스럽게 치매의 특징을 이해하고, 노인의 성격, 생활, 습관 등을 주의 깊게 관찰하면서 대처해야 한다.

❷ 자존심을 건드리지 않도록 한다.

치매환자의 자존심을 건드리면 치매환자는 우울증이 심해지며, 행동적으로는 방문을 걸어 잠그기도 하고, 자신을 돌보고 있는 사람에 대해서 피해를 주거나 폭력을 쓰기도 한다.

❸ 화를 내지 않는다.

치매환자가 실수를 했을 때 화를 내거나, 주의를 주거나, 비웃으면 심하게 상처를 입게 된다. 상처를 받을수록 내성적이 되고, 말을 줄이게 된다.

❹ 설득하도록 한다.

치매환자가 특이한 행동을 하거나, 무리한 요구를 할 때 무조건 안된다고 하거나 못하게 하지 말고 대화를 통해서 설득해서 스스로 하지 않도록 해야 한다.

❺ 정서적으로 지지해준다.

가족이 환자와 질병에 대한 느낌을 표현하도록 하고, 올바르게 한 일에 대해서 칭찬을 해주어 정서적으로 지지를 해준다. 환자가 수치스러운 이상행동을 했을 때도 무조건 나무라지 말고 환자 입장에서 이해해주어야 한다.

❻ 도움을 청할 수 있는 곳을 미리 알아둔다.

갑자기 어려운 일이 생겼을 때 도움을 청할 수 있는 가까운 가족, 친척, 이웃, 친구 등 연락처를 알아둔다.

❼ 정보를 공유하고 어려움을 나눈다.

소그룹 활동(가족모임)을 통해서, 치매에 대한 정보를 공유하고 어려움을 나눈다.

❽ 치매 관련 복지제도나 시설을 활용한다.

치매환자를 위한 복지제도에 대해서 정보를 수집하고, 복지관이나 시설 등을 활용한다.

❾ 잘못된 정보에 현혹되지 않는다.

주위의 치매에 대한 비전문가의 말에 현혹되어서는 안 된다. 중요한 사안이거나 어려운 문제가 생기면 꼭 담당 의사나 간호사와 상의하여야 한다.

2. 치매환자와의 대화방법

치매환자는 일반인과의 대화방법으로 대화하기 어렵다. 치매환자와 대화를 하기 위해서는 치매의 진행 단계에 맞는 대화를 해야 치매환자가 안정적으로 생활할 수 있으며, 치매지연에 도움이 된다.

❶ 항상 상대를 배려하는 대화를 한다.

치매환자와 대화를 할 때는 간병인의 입장에서 말하지 말고, 상대방의 입장에서 대화하려고 노력한다.

❷ 환자의 속도에 맞춘다.

치매환자와 대화를 할 때 대화의 속도는 치매환자의 상태에 맞게 짧은 단어로 천천히 말해야 한다. 환자의 대답을 기대할 때에는 충분한 시간을 가지고 기다린다.

❸ 말을 많이 들어 준다.

치매환자의 말에는 필요 없는 것이 많고, 이해하기 어려운 경우가 많지만 귀찮아하지 말고 들어드리는 노력이 필요하다.

❹ 시력 및 청력저하 환자에게는 오감을 이용한다.

청력이 저하된 노인에게 가까이서 정확한 발음으로 낮은 톤으로 천천히 몸짓과 표정으로 대화한다. 시력이 저하된 노인에게 주로 촉각과 청각을 이용하여 대화한다.

❺ 부정적인 말을 사용하지 않는다.

"안되요", "하지 마세요"와 같은 부정적인 말은 환자의 자존감을 낮추기 때문에 사용하지 않고, 환자 입장에서 해서는 안되는 이유를 설명해 준다.

❻ 과도한 질문을 하지 않는다.
　환자가 답하기 싫은데도 계속 질문을 하게 되면 대화를 중단하게 되거나 답변을 하지 않게 된다.

3. 치매 지연 활동

치매환자의 치매를 지연하기 위해서는 치매환자를 간호하면서 다음과 같은 활동을 해주는 것이 좋다.

❶ 과거를 회상하도록 한다.

과저를 회상하게 되면 자신을 되찾을 수 있고 생동감을 가지게 된다. 그리고 불안이나 어쩔 줄 모르는 기분이 가라앉게 된다.

❷ 1일 일과표를 작성하여 계획대로 생활하게 한다.

치매상태가 되면 우선 일상생활을 영위해 나가는데 자립성을 잃게 되어 규칙적인 생활을 할 수 없게 된다. 따라서 환자의 습관에 맞도록 1일 일과표를 만들고 그것에 맞춰 생활할 수 있도록 도와준다.

❸ 냉난방 · 온도 · 습도 · 환기를 적절하게 한다.

나이가 들게 되면 체온 조절능력이 감퇴되어 가기 때문에 실내의 온도를 적절히 조절해 주는 것이 중요하다.

❹ 탈수를 주의한다.

치매환자는 물을 마시고 싶어도 요구할 줄 모르기 때문에 탈수상태가 될 수 있다. 따라서 하루에 3번 식사 때 국과 물을 충분히 마시도록 한다.

❺ 인지훈련을 한다.

치매를 지연시키기 위해서는 뇌를 사용하는 인지훈련을 통해서 기억력, 판단력, 사고력을 지연시킬 수 있다.

❻ 남아 있는 능력을 활용하도록 한다.

남아있는 능력을 활용하게 하면 치매를 지연하는데 도움이 된다. 여성이라면 빨래를 개는 일이나 감자를 깎는 일, 식기를 씻는 일, 간단한 바느질 등은 할 수 있다. 남자는 청소, 풀 뽑기, 가벼운 짐 운반하기 등을 할 수 있다.

4. 치매환자의 환경 관리

치매가 심해질수록 판단력과 신체기능이 현저하게 떨어지기 때문에 환자를 보호하기 위해서는 다음과 같은 환경관리를 해주어야 한다.

❶ 쓰레기통 속에서 물건을 감추기도 하고 소변을 보기도 하므로 쓰레기통 뚜껑은 덮어둔다.

❷ 가구 이동이나 이사 같은 환경변화는 환자를 불안하게 하기 때문에 환경변화를 줄여야 한다.

❸ 층계에는 잡기 쉬운 손잡이나 난간을 만들도록 한다.

❹ 층계 끝이 잘 보이도록 색 테이프를 붙인다.

❺ 밤 동안에 희미한 불을 켜두거나 야간등을 사용한다.

❻ 애완동물은 키우지 않는 것이 좋다.

❼ 치매환자의 주 활동지는 가족들이 잘 관찰할 수 있는 범위 내에 위치하도록 하는 것이 이상적이다.

❽ 라디오, TV, 기구, 그리고 온도조절장치의 조작법을 간단하게 써 붙여 사용한다.

❾ 자극적인 TV화면은 환자에게 공포감이나 환상을 만들어 내기 때문에 주의해야 한다.

❿ 긴급연락처(치매상담자, 병원, 치매센터, 소방서, 경찰서 등)를 알아둔다.

5. 치매환자의 위험물 관리

　　건강한 사람은 환경에서 오는 위험을 판단하고 적절한 예방을 할 수 있으나, 치매환자는 판단력과 기억력이 점차 저하되어 환경에 대한 자기 보호능력이 떨어져 있다. 따라서 간호인은 치매환자의 안전을 위하여 치매환자의 상태에 따라 주변의 위험요인들은 제거해야 한다.

　　❶ 칼이나 날카로운 것들이 있으면 자해를 하거나 간호하는 사람에게 위해를 줄 수 있기 때문에 손에 닿지 않는 곳에 보관한다.

　　❷ 전선, 열쇠, 다리미, 망치, 성냥, 세제, 비닐봉지(질식) 등은 모두 노인에게는 위험한 물건이기 때문에 손에 닿지 않는 곳에 보관한다.

　　❸ 약은 노인의 손이 닿지 않는 곳에 두고 잠그는 것이 좋다.

　　❹ 계단의 낙상을 예방하도록 해야 하며, 2층보다 1층이 적합하다.

　　❺ 화장실 변기와 목욕통 주변에는 넘어지지 않도록 손잡이를 설치하는 것이 좋다.

　　❻ 음식물을 잘 보관하여 환자가 마음대로 음식을 먹지 않도록 한다.

　　❼ 부엌의 가스관은 꼭 안전하게 잠근다. 연기 탐지기를 설치하여야 한다.

❽ 기본적인 응급처치 방법을 알아두고, 응급처치에 필요한 약품을 미리 준비해둔다.

❾ 환자가 이동하는 길에는 넘어질 수 있는 장애물을 제거한다.

6. 치매환자의 배변 관리

　요실금과 변실금은 불결행위가 되므로 간호하기가 무척 힘들게 된다. 주된 원인은 뇌의 기질적 장애나 요도나 항문괄약근이 이완되기 때문이다. 그리고 화장실이 어디 있는지 장소를 모를 경우, 배설 방법을 잊어버렸을 경우, 행동이 느려지는 경우, 방광이나 요도의 병, 신체질병, 약의 부작용, 그밖에 급격한 환경변화에서 생기게 된다. 실금을 시작하게 되면 우선 의사와 상담해 보도록 한다. 원인에 따라서는 치료에 의해 개선되는 경우도 있다.

　요실금과 변실금에 대비하는 방법은 다음과 같다.

- 수분과 섭취하는 음식물의 질과 양을 조절하여 요실금·변실금을 줄여야 한다.

- 취침 전 2시간 전을 제외하고 낮 동안에는 충분한 수분을 섭취하게 하는 것이 요실금·변실금을 줄일 수 있으며, 방광의 건강유지에 유익하다.

- 식사나 간식을 먹고 나면 30분 후에는 반드시 화장실로 모시고 가서 배뇨와 배변을 하는 습관을 길러준다.

- 요실금·변실금 증상의 통제가 어려운 경우에는 기저귀를 사용한다.

- 요실금·변실금 증상이 심한 경우에는 비뇨기적 검사나 부인과 검진을 받도록 한다.

- 환자가 대소변 실수를 한 것에 대해 나무라지 않도록 한다.

- 요실금·변실금을 했을 때는 놀라거나 당황하지 말고 더러워진 옷을 바꾸어 입혀 준다.

- 식사 전, 외출 전에는 화장실에 가서 대소변을 볼 수 있도록 돕는다.

- 낮에는 될 수 있는 대로 기저귀를 사용하지 않는다.

- 뒤처리를 스스로 할 수 없을 때에는 뒤에서 닦아주도록 한다.

- 갑작스러운 배변을 쉽게 할 수 있도록 편안한 옷으로 바꿔 입힌다.

● 공공장소라는 사실도 잊어버린 채 옷을 벗으려고 할 때는 화장실에 가고 싶은 욕구의 표현일 수도 있기 때문에 화장실에 데려간다.

● 화장실 문을 열어 놓아 용변을 편히 볼 수 있도록 도와준다.

● 뒤처리를 하고 난 후에는 아무 일도 없었던 것같이 행동한다.

● 설사를 하는 원인은 장벽의 병, 변비로 인한 완화제 사용, 날 것을 먹거나, 상한 음식을 먹을 때 발생한다. 그러므로 환경에 세심한 주의를 배려해야 한다.

● 설사가 자주 일어날 때에는 섬유류가 적은 음식을 주도록 한다.

● 누워 있는 사람에게는 손에다 양말이나 장갑 등을 쥐어주고 신경이 손에 쓰이도록 한 후 몸을 옆으로 누이고 갈아주도록 한다.

● 변실금이 걱정이 될 때에는 실금해도 걸어 다니면서 변이 떨어지지 않도록 바지 끝에 고무끈을 넣어준다.

● 배설의 리듬을 알아보기 쉽게 하기 위하여 달력에 배설 기록을 하면 간호할 때 도움이 된다.

● 치매환자는 기저귀를 해야 하는 이유를 알지 못하고, 밑이 지저분해서 기분이 나빠지면 빼내 버리기도 한다. 기저귀를 사용하는 것은 노인의 자존심을 상하게 함은 물론이고 피부염이나 욕창, 요도감염 등이 생기게 된다.

7. 치매환자의 개인위생 관리

치매환자가 비교적 초기에 보이는 변화중의 하나가 위생관념의 변화인데, 이것은 대체로 장기간에 걸쳐서 형성되는 것이기는 하지만 그러한 행동을 실행하는 것은 단기기억을 이용해야만 한다.

❶ 환자의 이를 닦아주거나 양치질을 스스로 하도록 유도하여 치주염을 막거나 충치를 예방해야 한다.

❷ 의치는 적어도 하루 한 번씩은 부드러운 솔로 문질러 붙어있는 불순물을 제거한다. 의치를 뺀 다음에는 입안을 잘 헹구어내 청결하게 한다.

❸ 손발톱은 주기적으로 짧게 깎아 준다. 손발톱이 길면 상처를 입기 쉽고 그 밑에 지저분한 때가 끼기 때문이다.

❹ 면도는 매일 할 필요는 없지만 턱수염 또는 콧수염에 음식물이나 콧물이 묻어 지저분해질 수 있으므로 짧게 관리하는 것이 좋다.

❺ 평소에 화장을 하던 여성 환자는 자존감을 높이도록 화장을 계속하도록 도와주는 것이 좋다.

❻ 몸을 자주 씻어서 냄새가 나지 않도록 한다.

❼ 옷은 2~3일 간격으로 갈아 입혀서 청결을 유지한다.

8. 치매환자의 목욕 관리

치매환자는 자신이 왜 목욕을 해야 하는지 그 이유를 이해하지 못한다. 특히 벌거벗고 있는 동안 자신에게 해가 가해질 것으로 오해할 수 있고, 욕조에 들어가 앉아 있는 것을 마치 벌을 서는 것으로 생각하고 거부하기도 한다. 치매환자를 목욕시키기 위해서는 다음과 같이 한다.

❶ 환자가 목욕하는 것을 주저할 때는 억지로 시키지 말고 연기하는 것이 좋다.

❷ 목욕탕에서 환자가 당할 수 있는 냉해, 화상 등의 여러 가지 안전사고의 가능성을 항상 염두에 두고 있어야 한다.

❸ 노인들은 나이가 들면서 피부의 탄력을 잃고 피부에 상처를 줄 수 있다. 따라서 목욕은 1주일에 2회 정도 하는 것이 좋으며, 10분 내외가 적당하다.

❹ 목욕을 시킬 때는 겨드랑이와 회음부 사이도 구석구석 상처를 입지 않도록 조심스럽게 잘 닦아주어야 한다.

❺ 노인들의 피부는 매우 약하기 때문에 약한 비누와 피부 연화제를 사용하여 피부의 건조를 방지해야 한다.

❻ 목욕 시 욕탕 바닥이 미끄러워 넘어질 위험이 있으므로 바닥에 고무매

트를 깔아 두는 등 적절하게 대비하는 것이 좋다.

❼ 목욕 후에는 물기를 완전히 닦아내야 하며, 파우더를 뿌려주는 것도 좋다.

❽ 바닥은 문턱과의 차이를 없애고 미끄러지지 않도록 주의한다.

❾ 비누를 먹기도 하고 샴푸를 마시기도 하는 사람이 있기 때문에 손이 닿지 않도록 주의한다.

❿ 목욕은 치매환자가 원하는 방법으로 해주는 것이 좋다.

⓫ 목욕을 시킬 때는 플라스틱 의자를 목욕탕 속에 놓고 앉히거나 변기 위에 노인을 앉힌 후에 샤워를 시키는 것이 편리하다.

9. 치매환자의 체력관리

말기 치매환자는 신체적 장애가 생겨서 제대로 걷지 못하고, 아예 의자나 침대에서만 지내게 된다. 계속 이 상태로 두게 되면 결국 전신의 근육이 경직되며, 심할 때는 경련성 발작이나 근 경련이 일어난다. 더 심해지면 꼼짝하지 않고 침대에 누워 움직이지 않는 상태에 이른다. 이런 상태가 되면 보호자나 간병인은 모든 것을 수발해야 하며, 대소변을 받아 내야 한다.

따라서 치매 말기라고 해도 근육이 경직되지 않도록 해야 하며, 거동을 할 수 있을 만큼 운동을 해야 한다. 치매 말기의 환자는 스스로 운동을 하기 어렵기 때문에, 가족이나 간병인은 운동을 시켜주어야 한다.

1) 근육이 경직되었을 때

치매 환자가 침대에서 오랫동안 움직이지 않아서 근육이 경직되었을 때에는 다음과 같은 마사지가 좋다.

- 손으로 근육이 풀어지도록 마사지해 준다.
- 손바닥으로 근육을 두드려 주며, 부드러운 솔로 피부를 문지른다.
- 손으로 근육을 쓰다듬어 준다.

2) 간단한 움직임이 가능할 때

스스로 간단한 움직임이 가능한 환자에게는 다음과 같은 운동을 시키는 것이 좋다.

- 관절을 움직이지 않은 상태에서, 온몸에 힘을 주었다 빼는 운동을 실시하게 한다.
- 누운 상태에서 팔다리를 구부렸다 펴고, 옆으로 움직이는 운동을 지속적으로 하도록 한다.

3) 스스로 스트레칭을 하지 못할 때

환자가 스스로 스트레칭을 하지 못할 때에는 다음과 같은 운동을 시키는 것이 좋다.

• 간병인이 환자의 표정을 살피면서 천천히 스트레칭을 시켜 준다. 이때 환자가 고통스러운 표정을 지으면 멈추어야 한다.

• 환자가 누워있는 상태에서 보호자나 간병인이 환자의 팔다리를 구부렸다 펴주고, 옆으로 눕는 운동을 지속적으로 시켜준다.

4) 기타

• 환자의 근력이 어느 정도 증가되어 균형을 잡고 앉아 있을 수 있다면, 스스로 일어나는 운동을 하도록 한다.

• 스스로 일어설 수 있다면 지지대나 간호자의 손을 잡고 서서 몸을 양쪽으로 흔드는 일어나는 운동을 하도록 한다.

• 한쪽 다리를 번갈아 앞으로 내밀었다가 들이는 운동을 하도록 한다.

• 어느 정도 훈련이 되면 걷기를 서서히 시행하며 이때 수중운동은 체중 부담이 없이 시행할 수 있는 운동이므로 권장할 만하다.

10. 치매환자의 배회행동 대처방법

배회는 아무 계획이나 목적지 없이 돌아다니는 것을 말한다. 치매환자의 배회는 기억력 상실이나, 시간과 방향감각의 저하로 인해 혼돈하거나 불안하여 집 밖으로 나가려 하고, 배가 고프거나 화장실을 찾지 못할 때 집 밖으로 돌아다니려고 한다.

배회의 문제는 길을 잃을 수 있고 낙상이나 신체적 손상이 있을 수 있으므로 주의 깊은 관찰과 돌봄이 필요하다. 배회에 대한 대비방법을 보면 다음과 같다.

❶ 배회를 하는 환자를 위해서 안전하게 배회할 수 있는 공간을 만들어 준다. 예를 들어 바닥에 미끄러질 수 있는 물건을 제거하고, 문지방이나 전기 코드를 제거하고, 신체적 손상을 방지하기 위해 집 안에 있는 가구 모서리에 스펀지 등을 붙인다.

❷ 자기 전에 정기적으로 함께 산책을 하거나, 단순한 일거리를 만들어주어 피곤하게 만들어 야간에 배회하는 증상을 줄이도록 한다.

❸ 배회 행동이 심한 노인에게는 바깥으로 나가지 못하게 해야 하며, 만일의 경우를 대비하여 노인의 이름과 연락처가 적힌 명찰을 옷에 붙이거나 연락처를 적은 팔찌를 착용하도록 해야 한다.

❹ 배회를 사전에 예방하기 위해 현관이나 출입문에 벨을 달아 놓아 출입하는 것을 관찰한다.

❺ 배회로 인한 가출 시는 가출인 신고센터 182번이나 관할 파출소에 신

고한다.

❻ 밤에도 불을 켜 놓아 집안을 어둡게 하지 않도록 한다.

❼ 고향이나 가족에 대하여 대화를 나눔으로써 정서적인 불안감을 줄여 배회하지 않도록 한다.

11. 치매환자의 폭력적인 행동 대처방법

치매환자의 폭력적인 행동은 신체적으로 때리고, 밀고, 물건을 던지거나 꼬집고 발로 차는 행동이 있을 수 있으며, 언어적으로는 욕하기, 소리 지르기, 같은 말을 반복하기가 있다.

폭력적인 행동을 줄이려면 다음과 같이 해야 한다.

❶ 폭력을 행사하면 우선 상황을 피해 안전을 확보해야 한다.

치매환자가 폭력을 행사하면 우선 안전하게 상황을 피하도록 한다. 그리고 환자를 잠시 다른 곳으로 데리고 가서 흥분을 가라앉히도록 한다.

❷ 갑자기 치매환자의 몸에 손을 대지 않는다.

말보다 앞서 몸에 손을 대거나, 보이지 않는 장소에서 갑자기 소리를 지르는 등 상대방이 놀라 폭력적 행동으로 이어질 수 있기 때문에 몸에 갑자기 손을 대기보다는 말로 해결하도록 해야 한다.

❸ 몸을 갑자기 움직이지 않는다.

몸을 갑자기 움직이면서 치매환자에게 간호를 하면 노인이 매우 두려워한다. 노인이 보는 앞에서 간호자의 몸을 천천히 움직이며 말을 하면서 도와드린다.

❹ 화나게 하지 않는다.

치매환자를 화나게 하거나 반박하게 하는 일은 폭력을 가져오게 할 수 있다. 따라서 치매환자를 귀찮게 하거나 화나게 해서는 안된다.

❺ 귀찮게 하지 않는다.

치매환자가 싫어하는데도 계속 질문하거나, 싫어하는 행동을 계속하면 폭력을 행사하기도 하기 때문에 귀찮게 하지 않는다.

❻ 무기가 될 만한 것들을 제거한다.

환자에게 폭력적인 성향이 있는 경우 근처에 위해가 되는 물건들을 놓지 말아야 하며, 무기가 될 만한 것들을 손에 닿지 않도록 한다.

❼ 폭력의 원인이 무엇인지 파악하고 원인을 제거한다.

치매환자들은 자신이 무시당한다고 여기거나 자신이 하는 일을 방해받았다고 생각할 때, 폭력적이 된다. 폭력적인 행동을 할 때 무엇 때문에 화가 났는지 파악하여, 원인을 제거해주어 다음부터는 폭력이 발생하지 않도록 한다.

❽ 설득해야 한다.

아무 이유 없이 공격적이거나 난폭한 행동이 나타나면 상황에 대한 잘못된 이해와 판단 때문이므로 그렇게 해서는 안 되는 이유를 설명해 준다.

12. 치매환자의 반복적인 행동 대처방법

치매환자는 거의 습관적으로 똑같은 행동이나 질문을 반복적으로 하는 경우가 많다. 반복적인 행동을 하는 이유는 자신의 안전을 확인하고 싶은 경우가 있고, 자신이 원하는 답을 구하지 못했다고 생각할 때, 다른 사람의 관심을 끌기 위해서 나타날 수 있다. 반복적인 행동이나 말을 할 때 다음과 같이 대처해야 한다.

❶ 반복행동을 한다는 것은 환자가 원하는 것이 있다는 것이기에 바로 해결해주어 짜증이나 화를 내지 않도록 한다.

❷ 반복행동의 원인이 무엇인지를 알아서 해결해준다.

❸ 원인을 해결해주기 어려울 때는 대화로 어려운 이유를 설득한다.

❹ 반복적인 행동이 위험하지 않고 부적절하지 않은 경우 반복행동을 제한하지 않는다.

❺ 좋아하는 음식을 제공하거나, 과거에 있었던 즐거운 얘기, 고향 등에 대해 대화를 나누어 관심을 다른 것으로 돌린다.

❻ 단순하게 할 수 있는 일거리(콩 고르기, 나물 다듬기, 수건 접기, 빨래 접기 등)을 주어 다른 것으로 돌린다.

❼ 자신이 무엇을 할 수 있다는 심리적 안정과 자신감을 갖도록 도와준다.

❽ 걱정이 많은 경우 때로는 선의의 거짓말이 필요하다. 때로는 내용을 써 주어서 읽어보고 안심할 수 있도록 돕는다.

부록

단기교육용

치매예방 지도사
양성과정 제안서

□ 교육 내용

  ○ 교육 기간 : 2018년 1월 13일(토)~1월 14일(일) 오전 10:00~오후 18:00
    (총 15시간)

  ○ 교육 장소 :

  ○ 모집 인원 :   명

  ○ 수 강 료 : 25만원(강의 교재1권, 치매예방활동지 3권+치매진단 검사지+
    강의교안)

□ 배 경

  ○ 노령인구의 증가에 따른 치매 환자의 증가

  ○ 치매환자 증가에 따른 정부의 복지 예산에 대한 증가로 인해 고민

  ○ 치매환자를 둔 가족들의 경제적 육체적 고통의 증가

  ○ 치매 예산의 증가로 인한 치매예방의 필요성 증가

  ○ 비전문적인 치매예방이 현장에서 진행됨으로 인해 효과 저하

□ 필요성

  ○ 노인인구의 증가에 따라 치매환자의 증가는 지방자치단체에 부담을 주고
    있어 체계적인 치매예방의 필요성이 절실함

  ○ 치매예방에 대한 지방자치 단체의 예산은 늘어가고 있지만 효과적인 치매예
    방이 필요한 실정임

  ○ 치매예방에 대한 관심이 증가하고 있으나, 체계적인 프로그램이 보급되지 못
    하고 있는 실정임

  ○ 전문적인 치매예방 지도사에 의한 치매예방 교육이 절실히 필요함

  ○ 보건소, 양노원, 경노당에서 치매예방 교육의 전문가를 원하고 있음

□ 프로그램의 특징

　○ 기존에 나와 있는 치매예방 프로그램의 분석하여 노인들의 수준에 맞는 프로그램 개발

　○ 치매예방을 위한 검증된 검사 도구의 개발로 정확한 진단이 가능함

　○ 치매예방 활동지는 난이도에 따라 5단계로 나누어 노인의 수준에 맞게 적용이 가능함

　○ 검사 도구의 검사 결과에 따라 노인의 수준에 맞게 적용이 가능함

　○ 치매예방 교육이 끝난 후 검사지를 통해 사전과 사후를 비교하여 효과성을 검증할 수 있음

□ 모집 대상

　○ 치매예방에 대한 관심 가진 분

　○ 치매예방지도사로 활동하고 싶은 분

　○ 가족 중에 치매환자를 스스로 치료하고 싶은 분

　○ 치매예방 강사가 되고 싶은 분

□ 세부내용

구분	시간	강의 제목	강의내용
1일차	10:00~11:00	오리엔테이션 치매예방지도사의 역할과 비전	- 치매의 정의와 실태 - 치매예방지도사의 역할 - 치매예방지도사의 비전
	11:00~12:00	치매의 문제점과 종류	- 치매의 문제점 - 치매의 특징 - 치매의 종류 - 치매의 위험 인자

	시간	과목	내용
	13:00~14:00	치매에 대한 이해	- 뇌의 정신 활동 - 치매의 진행 단계
	15:00~16:00		- 다른 유사 질환과의 차이 - 치매로 인한 장애
	16:00~17:00	치매 진단 방법	- 치매선별용 한국형 간이정신 상태검사와 진단
	17:00~18:00		- 노인우울성 검사와 진단 - 주관적 기억력 평가 문항과 진단
2 일 차	10:00~11:00	치매예방 활동지 적용방법	- 지남력, 집중력 - 집중력, 지각력
	11:00~12:00		- 기억력, 판단력 - 언어력, 시공간력
	13:00~14:00	치매예방 활동 적용방법	- 활동능력, 일기쓰기 지도 - 치매 프로그램 개발 방법
	15:00~16:00	교육사업전문가의 역할과 비전	- 교육사업전문가의 역할 - 교육사업전문가의 비전 - 교육사업전문가의 활동방법
	16:00~17:00	제안서 작성 및 제안 방법	- 지자체 제안서 작성 - 평생교육 기관 제안서 작성 - 대학교 제안서 작성
	17:00~18:00	컨설팅 및 정리	- 자신에 맞는 아이템 선정 - 프로그램 개발 컨설팅 - 정리

대학 및 평생교육원용

치매예방 지도사
양성과정 제안서

1 사업 개요

□ 사 업 명 : 치매예방지도사 양성 과정

□ 교육 기간 : 201 년 월 일(화)~ 월 일( ) 오전 09:00~오후 13:00(총 10
회 40시간)

□ 교육 장소 :

□ 모집 인원 : 30명

□ 수 강 료 : 무료

□ 소요 예산 : 자지체의 예산에 따라 변경

□ 위탁 기관 : 아이월드교육연구소/ 치매관리협회

□ 사업 범위
   ○ 교육프로그램 운영을 위한 전문 강사진 구성 및 섭외
   ○ 과정 신청자 상담 접수 및 교육생 선발
   ○ 과정 운영을 위한 전반적인 사항(교육장 준비, 강사 및 교육생 관리, 현수
     막 교재) 준비
   ○ 회차별 교육 진행 후 강사 및 강의 평가를 통한 만족도 조사
   ○ 학습 성과 제고를 위한 체계적인 학사관리
   ○ 사업 종료 후 15일 이내 결과보고서 및 사업 정산서 제출

2 사업 목적

□ 배 경
   ○ 노령인구의 증가에 따른 치매 환자의 증가
   ○ 치매환자 증가에 따른 정부의 복지 예산에 대한 증가로 인해 고민

○ 치매환자를 둔 가족들의 경제적 육체적 고통의 증가

○ 치매 예산의 증가로 인한 치매예방의 필요성 증가

○ 비전문적인 치매예방이 현장에서 진행됨으로 인해 효과 저하

□ **필요성**

○ 노인인구의 증가에 따라 치매환자의 증가는 지방자치단체에 부담을 주고
 있어 체계적인 치매예방의 필요성이 절실함

○ 치매예방에 대한 지방자치 단체의 예산은 늘어가고 있지만 효과적인 치매예
 방이 필요한 실정임

○ 치매예방에 대한 관심이 증가하고 있으나, 체계적인 프로그램이 보급되지 못
 하고 있는 실정임

○ 전문적인 치매예방 지도사에 의한 치매예방 교육이 절실히 필요함

○ 보건소, 양노원, 경노당에서 치매예방 교육의 전문가를 원하고 있음

3 　사업 내용

□ **프로그램의 개발**

○ 기존에 나와 있는 치매예방 프로그램의 분석하여 노인들의 수준에 맞는 프
 로그램 개발

○ 치매예방을 위한 검증된 검사 도구의 개발로 정확한 진단이 가능함

○ 치매예방 활동지는 난이도에 따라 5단계로 나누어 노인의 수준에 맞게 적
 용이 가능함

○ 검사 도구의 검사 결과에 따라 노인의 수준에 맞게 적용이 가능함

○ 치매예방 교육이 끝난 후 검사지를 통해 사전과 사후를 비교하여 효과성을
 검증할 수 있음

□ 프로그램의 운영

　○ 지속적인 참여를 위한 체계적인 학사관리시스템 구축

　○ 과정 진행 중 개인 면담을 통한 비전 설정

　○ 수료 후 전부 취업할 수 있도록 맞춤형 진로 코칭

　○ ○○시의 특성화 프로그램으로 안착할 수 있도록 운영

□ 교재

　○ 신희영(2019). 치매예방과 간병. 예감출판사

　○ 신희영(2019). 치매예방 주간학습지 12권. 예감출판사

　○ 신희영(2019). 치매예 및 인지검사지 및 해석지. 예감출판사

□ 모집 대상

　○ 치매예방에 대한 관심 가진 분

　○ 치매예방지도사로 활동하고 싶은 분

　○ 가족 중에 치매환자를 스스로 치료하고 싶은 분

　○ 치매예방 강사가 되고 싶은 분

　○ 전문적인 직업을 갖고 싶은 분

□ 운영 인원

순서	구분	인원	업무
1	책임지도 강사	1명	전반적인 프로그램 운영
2	전문 강사	3명	수업 진행
3	보조 강사	1명	수업 보조

□ 홍보 계획

   ◯ 관내 노인관련 기관에 수강생 모집 협조 공문 발송

   ◯ 시청 홈페이지에 수강생 모집 홍보

   ◯ 시청 관련 홈페이지에 수강생 모집 홍보

   ◯ 관내 주민자치센터에 모집 홍보

   ◯ 유관기관 및 관련 단체에 수강생 모집 협조

   ◯ 현수막과 구전을 통한 홍보

4 교육 일정

회차	일정	강의 제목	강의내용
1	월 일	오리엔테이션 치매예방지도사의 역할과 비전	- 치매의 정의와 실태 - 치매예방지도사의 역할 - 치매예방지도사의 비전 - 치매예방지도사의 활동방법
2	월 일	치매의 문제점과 종류	- 치매의 문제점 - 치매의 특징 - 치매의 종류 - 치매의 위험 인자
3	월 일	치매에 대한 이해	- 뇌의 정신 활동 - 치매의 진행 단계 - 다른 유사 질환과의 차이 - 치매로 인한 장애
4	월 일	치매치료와 관리	- 치매의 약물 치료 - 치매의 비약물 치료 - 치매 예방에 좋은 음식 - 치매 노인을 위한 간호 방법

5	월 일	치매예방법	- 인지요법 - 미술치료 - 음악치료 - 요리치료
6	월 일	치매 진단 방법	- 치매선별용 한국형 간이정신 상태검사 와 진단 - 노인우울성 검사와 진단 - 주관적 기억력 평가 문항과 진단
7	월 일	치매예방을 위한 운동요법	- 운동요법의 정의 - 노인에게 필요한 체력 - 치매예방에 좋은 유산소운동 - 치매예방에 좋은 스트레칭
8	월 일	치매예방 활동지 적용방법	- 지남력 - 집중력 - 기억력 - 언어력
9	월 일	치매예방 활동지 적용방법	- 집중력 - 지각력 - 판단력 - 시공간력
10	월 일	치매예방 활동지 적용방법 정리	- 활동능력 - 일기쓰기 - 정리 및 질의 응답 - 수료식

여성인력개발센터용

치매예방 지도사
양성과정 제안서

1 사업 개요

□ 사 업 명 : 치매예방지도사 양성 과정

□ 교육 기간 : 201 년 월 일(화)~ 월 일( )

　　　　　　　오전 09:00~오후 13:00(총 30회 120시간)

□ 교육 장소 : 인력개발기관

□ 모집 인원 : 30명

□ 수 강 료 : 기관의 실정에 따라 변경

□ 위탁 기관 : 아이월드교육연구소/ 치매관리협회

2 사업 목적

□ 배 경

　○ 노령인구의 증가에 따른 치매 환자의 증가

　○ 치매환자 증가에 따른 정부의 복지 예산에 대한 증가로 인해 고민

　○ 치매환자를 둔 가족들의 경제적 육체적 고통의 증가

　○ 치매 예산의 증가로 인한 치매예방의 필요성 증가

　○ 비전문적인 치매예방이 현장에서 진행됨으로 인해 효과 저하

□ 필요성

　○ 노인인구의 증가에 따라 치매환자의 증가는 지방자치단체에 부담을 주고
　　있어 체계적인 치매예방의 필요성이 절실함

　○ 치매예방에 대한 지방자치 단체의 예산은 늘어가고 있지만 효과적인 치매예

방이 필요한 실정임

○ 치매예방에 대한 관심이 증가하고 있으나, 체계적인 프로그램이 보급되지 못하고 있는 실정임

○ 전문적인 치매예방 지도사에 의한 치매예방 교육이 절실히 필요함

○ 보건소, 양노원, 경노당에서 치매예방 교육의 전문가를 원하고 있음

3 사업 내용

□ 프로그램의 특징

○ 기존에 나와 있는 치매예방 프로그램의 분석하여 노인들의 수준에 맞는 프로그램 개발

○ 치매예방을 위한 검증된 검사 도구의 개발로 정확한 진단이 가능함

○ 치매예방 활동지는 난이도에 따라 3단계로 나누어 노인의 수준에 맞게 적용이 가능함

○ 검사 도구의 검사 결과에 따라 노인의 수준에 맞게 적용이 가능함

○ 치매예방 교육이 끝난 후 검사지를 통해 사전과 사후를 비교하여 효과성을 검증할 수 있음

□ 프로그램의 운영

○ 지속적인 참여를 위한 체계적인 학사관리시스템 구축

○ 과정 진행 중 개인 면담을 통한 비전 설정

○ 수료 후 전부 취업할 수 있도록 맞춤형 진로 코칭

○ ○○시의 특성화 프로그램으로 안착할 수 있도록 운영

□ 교재

○ 신희영(2019). 치매예방과 간병. 예감출판사

○ 신희영(2019). 치매예방 주간학습지 12권. 예감출판사

○ 신희영(2019). 치매예 및 인지검사지 및 해석지. 예감출판사

□ 홍보 계획

○ 관내 노인관련 기관에 수강생 모집 협조 공문 발송

○ 시청 홈페이지에 수강생 모집 홍보

○ 시청 관련 홈페이지에 수강생 모집 홍보

○ 관내 주민자치센터에 모집 홍보

○ 유관기관 및 관련 단체에 수강생 모집 협조

○ 현수막과 구전을 통한 홍보

4 교육 일정

회차	주제	강의 내용	강의방법
1	오리엔테이션 치매예방지도사의 역할과 비전	치매의 정의와 실태	강의
		치매예방지도사의 역할	
		치매예방지도사의 비전	
		치매예방지도사의 활동방법	
2	치매의 문제점과 종류	치매의 문제점	강의
		치매의 특징	
		치매의 종류	
		치매의 위험 인자	

회차	주제	강의 내용	강의방법
3	치매 노인을 위한 복지 서비스1	노인 장기요양보험 제도	강의
		주간보호소	
		단기보호시설	
		장기요양기관	
4	치매 노인을 위한 복지 서비스2	중앙 치매센터와 지역 치매센터	강의
		가정간호	
		치매상담 콜센터	
		치매 가족을 통한 정보 획득	
5	치매 치료와 관리1	치매의 약물 치료	강의 실습
		치매의 비약물 치료	
		치매예방에 좋은 음식	
		치매예방을 위한 생활 습관1	
6	치매 치료와 관리2	치매예방을 위한 생활 습관2	강의 실습
		치매 노인을 위한 간호 방법	
		치매환자의 문제 행동에 대한 대처방법	
		치매환자를 위한 환경 관리	
7	치매를 예방하는 방법1	치매예방을 위한 인지요법	강의 실습
		치매예방을 위한 미술치료1	
		치매예방을 위한 미술치료2	
		치매예방을 위한 미술치료3	
8	치매를 예방하는 방법2	치매예방을 위한 웃음치료	강의
		치매예방을 위한 음악치료	
		치매예방을 위한 독서치료	
		치매예방을 위한 동물매개치료	
9	치매를 예방하는 방법3	치매예방을 위한 이야기치료	실습
		치매예방을 위한 글쓰기치료	
		치매예방을 위한 시치료	
		치매예방을 위한 요리치료	

회차	주제	강의 내용	강의방법
10	치매의 진단과 검사지	치매선별용 한국형 간이정신 상태검사와 진단1	강의 실습
		치매선별용 한국형 간이정신 상태검사와 진단2	
		노인우울성 검사와 진단	
		주관적 기억력 평가 문항과 진단	
11	치매예방을 위한 운동요법1	운동요법	강의 실습
		노인에게 필요한 체력	
		치매예방에 좋은 유산소 운동	
		치매예방에 좋은 스트레칭	
12	치매예방을 위한 운동요법2	치매예방을 위한 효과적인 운동	강의
		치매예방에 좋은 유연성 운동	
		근력 강화를 위한 아령운동	
		치매예방을 위한 박수	
13	치매예방 활동지 적용방법1	지남력의 정의	강의 실습
		지남력을 높이는 방법1	
		지남력을 높이는 방법2	
		지남력지도 방법	
14	치매예방 활동지 적용방법2	집중력의 정의	강의
		집중력을 높이는 방법1	
		집중력을 높이는 방법2	
		집중력지도 방법	
15	치매예방 활동지 적용방법3	지각력의 정의	강의 실습
		지각력을 높이는 방법1	
		지각력을 높이는 방법2	
		지각력지도 방법	
16	치매예방 활동지 적용방법4	기억력의 정의	강의 실습
		기억력을 높이는 방법1	
		기억력을 높이는 방법2	
		기억력지도 방법	

회차	주제	강의 내용	강의방법
17	치매예방 활동지 적용방법5	판단력의 정의 판단력을 높이는 방법1 판단력을 높이는 방법2 판단력지도 방법	강의 실습
18	치매예방 활동지 적용방법6	언어력의 정의 언어력을 높이는 방법1 언어력을 높이는 방법2 언어력지도 방법	강의 실습
19	치매예방 활동지 적용방법7	시공간력의 정의 시공간력을 높이는 방법1 시공간력을 높이는 방법2 시공간력지도 방법	강의
20	치매예방 활동지 적용방법8	계산능력의 정의 계산능력을 높이는 방법1 계산능력을 높이는 방법2 계산능력지도 방법	강의 실습
21	치매예방 활동지 적용방법9	활동능력의 정의 활동능력을 높이는 방법1 활동능력을 높이는 방법2 활동능력지도 방법	강의 실습
22	치매예방 활동지 적용방법10	일기쓰기의 중요성 일기쓰기 지도 치매예방 활동지 적용 종합1 치매예방 활동지 적용 종합2	강의 실습
23	치매예방 활동지 적용 종합	치매예방 활동지 적용 순서 치매예방 활동지 적용 방법 치매예방 활동지 지도시 주의사항 치매예방 활동지 활용에 대한 질의응답	강의

회차	주제	강의 내용	강의방법
24	강사트레이닝	강의를 빛나게 하는 강의전략 및 교수법	강의 실습
		강의를 더욱 풍요롭게 하는 교수법	
		강의 효과를 높이는 핵심 강의전략	
		창의력과 상호작용을 높이는 교수법	
25	강사트레이닝	강의에 날개를 달아 주는 스피치	강의 실습
		강의에 보약이 되는 보디랭귀지	
		강사의 비언어적 커뮤니케이션	
		강의 옷차림 등 강사의 이미지메이킹	
26	캠프 강사 트레이닝	인기 강사의 비결	강의 실습
		강사 만족도 향상 전략	
		학생 강의 소통 노하우	
		캠프 강사 참여시 주의점	
27	검사지를 통한 진단 실습	검사지를 통한 진단 실습1	강의 실습
		검사지를 통한 진단 실습2	
		검사지를 통한 진단 실습3	
		검사지를 통한 진단 실습4	
28	실전 모의 강의1	실전 모의 강의 및 피드백1	실습
		실전 모의 강의 및 피드백2	
		실전 모의 강의 및 피드백3	
		실전 모의 강의 및 피드백4	
29	실전 모의 강의2	실전 모의 강의 및 피드백5	실습
		실전 모의 강의 및 피드백6	
		실전 모의 강의 및 피드백7	
		실전 모의 강의 및 피드백8	
30	정리 및 수료	1:1 개인코칭	강의
		강사 프로모션	
		과정 정리 및 평가	
		수료식	

치매관리협회 검사지

치매선별 검사
10부 40,000원

계산력 검사
10부 20,000원

기억력 검사
10부 20,000원

시공간력 검사
10부 20,000원

우울증 검사
10부 20,000원

지각력 검사
10부 20,000원

지남력 검사
10부 20,000원

집중력 검사
10부 20,000원

판단력 검사
10부 20,000원

인지능력 뇌건강 학습지

대상 : 노인, 인지능력 향상을 원하는 분

내용 : 인지능력 향상을 위한 신체활동, 지남력, 기억력, 지각력, 판단력, 시공간력,
계산력, 언어력, 집중력, 일기쓰기 8대 영역

특징 : 1주일 적용 프로그램 / 쪽수 : 12P / 가격 : 3,000원

인지능력 향상 활동지 및 지도서

대상 : 노인, 인지능력 향상을 원하는 분

내용 : 인지능력 향상을 위한 신체활동, 지남력, 기억력, 지각력, 판단력, 시공간력,
계산력, 언어력, 집중력, 일기쓰기 8대 영역과 특별한 지식이 없어도 따라만 하면
프로그램을 적용할 수 있음

특징 : 6달 분 / 쪽수 : 85P / 활동지 가격 : 12,000원, 활동지 지도서 가격 : 10,000원

나를 행복하게 하는 자존감
대상 : 노인, 아동, 우울증 환자
내용 : 자존감의 정의와 자존감을 높이는 방법
가격 : 12,000원

나를 행복하게 하는 자존감
대상 : 노인, 아동, 우울증환자
내용 : 자존감 활동지
가격 : 12,000원

자존감 카드
구성 : 40장
가격 : 6,000원

칭찬 카드
구성 : 60장
가격 : 8,000원

감정 카드
구성 : 89장
가격 : 10,000원

기억력을 높이는 기억력놀이

대상 : 노인, 아동, 인지능력 저하자

내용 : 기억력, 판단력 향상에 탁월한 효과

구성 : 매뉴얼과 기억력게임기

가격 : 12,000원

머리가 좋아지는 칠교놀이

대상 : 노인, 아동, 인지능력 저하자

내용 : 시공간력, 판단력 향상에 탁월한 효과

구성 : 매뉴얼과 칠교

가격 : 12,000원

계산력을 높이는 숫자 주사위놀이

대상 : 노인, 아동, 인지능력 저하자

내용 : 계산력 향상에 탁월한 효과

구성 : 매뉴얼과 숫자 주사위 2개

가격 : 12,000원

치매관리협회 전통체육 프로그램

태극주머니
· 원리 : 컬링과 구슬치기를 혼합한 전통체육
· 대상 : 치매예방을 위한 노인, 기관종사자,
청소년, 학생, 뉴스포츠 동호회
· 구성 : 교재, 표적판, 콩주머니
· 목적 : 판단력 향상, 집중력 향상, 계산력 향상,
대소근육 증진, 운동효과
· 가격 : 60,000원

태극투호
· 원리 : 투호와 다트의 원리를 혼합한 전통체육
· 대상 : 치매예방을 위한 노인, 기관종사자,
청소년, 학생, 뉴스포츠 동호회
· 구성 : 교재, 표적판, 화살
· 목적 : 판단력 향상, 집중력 향상, 계산력 향상,
대소근육 증진, 운동효과
· 가격 : 60,000원

태극비석치기
· 원리 : 비석치기의 원리를 혼합한 온몸운동
· 대상 : 치매예방을 위한 노인, 기관종사자,
청소년, 학생, 뉴스포츠 동호회
· 구성 : 교재, 비석
· 목적 : 판단력 향상, 집중력 향상, 온몸 운동,
대소근육 증진
· 가격 : 12,000원

치매관리협회 방문 프로그램

수준을 정확히 판단하는 인지검사

· 구성 : 치매선별, 기억력, 주의력, 판단력, 지남력, 지각력, 시공간력, 계산력, 우울증 등 9종
· 검사비 : 치매선별검사비 2만원,
　　　　　 인지검사 각 1만원
· 시간 : 치매선별검사 30분, 각 검사 15분(총 3시간)
· 할인가격 : 전체 50,000원

수준에 맞는 치매예방 뇌건강학습

· 구성 : 치매예방을 위한 뇌건강학습지
· 방법 : 매주 1회 방문
· 시간 : 50분
· 1회 가격 : 50,000원
· 월 4회 가격 : 120,000원
· 3인 이상 월 4회 가격 : 150,000원

치매환자를 위한 치매지연학습

· 구성 : 초고령자와 치매환자를 위한 뇌건강학습지
· 방법 : 매주 1회 방문
· 시간 : 50분
· 1회 가격 : 50,000원
· 월 4회 가격 : 120,000원
· 3인 이상 월 4회 가격 : 150,000원

노인건강을 위한 전통체육 자존감

· 구성 : 노인 건강향상을 위한 전통체육 자존감 향상
· 방법 : 매주 1회 방문
· 시간 : 50분
· 1회 가격 : 50,000원 / 월 4회 가격 : 120,000원
· 3인 이상 월 4회 가격 : 150,000원

참고 문헌

곽이섭·엄상용(2005). 1년간의 복합 운동프로그램이 남성 치매환자의 운동 능력과 인지 기능에 미치는 영향. 생명과학회지.

국민건강보험공단(2014). 국민건강보험 보도자료.

국민건강보험공단(2014). 치매특별등급 도입을 위한 시범사업 실시.

국민건강보험공단(2013). 치매특별등급 도입을 위한 시범사업 실시.

국민건강보험공단(2013). 보도자료 '내 기억00과의 싸움 치매. 최근 6년간 65세 이상 노인환자 3배 증가.'

국민일보(2008.8.18)기사 인용. '중년 흡연자 기억력 가물가물'

국민일보(2009.6.9)기사 인용. '지중해식단 가벼운 치매예방'

김상우·이채정(2014). 치매관리사업의 현황과 개선과제. 국회예산 사무처.

김설향(2005). 치매 노인을 위한 신체자극 운동프로그램 개발. 한국사회체육학회지

김은주(2010). 재가노인의 인지기능장애 영향을 미치는 요인. 동서간호학연구지. 16(2).

김준환·안종태·황미영·손영환·장은하(2016). 충청북도 노인건강지원 사업평가 및 개선방안 연구

김춘남(2013). 노인 장기요양대상자 사각지대 해소방안 연구 : 재가노인 복지사업을 중심으로. 경기복지재단.

곽동일(1997). Alzherimer병의 증상. 계명의대 논문집. 계명대학교의과 대학 계명대학교 의과학연구소.

권중돈(2007). 노인복지론. 학지사.

노호성외(1999). 본태성 고혈압 환자의 혈압과 순환기능의 향상을 위한 적정 운동시간. 대한스포츠의학회지

미국정신의학회(2013). DSM-V. 정신질환의 진단 및 통계편람. 제5판 학지사.

박상기(2014). 치매. 이길 수 있는 전쟁 (전자자료) : 치매 걱정 없이 행복하게 나이 드는 법.

백경숙·권용신(2008). 치매노인 주부양자 부양부담이 심리적 복지감에 미치는 영향. 노인복지연구. 39.

보건복지부(2012). 2012년 치매 유병률 조사. 보건복지부(2012). 제2차 국가치매관리 종합계획(2013~2015).

보건복지부(2018). 2018년 치매유병율조사.

보건복지부·중앙치매센터(2016). 대한민국치매현황.

보건복지가족부(2017). 치매관리종합대책.

보건복지부·중앙치매센터·국민건강보험공단(2014). 치매전문교육 기본교재 1.

분당서울대병원(2014). 제3차 국가치매관리종합계획 사전기획연구.

세계일보(2006.12.23) 기사 인용. 노인성 치매환자 '4년새 3배'.

세계일보(2009.04.14) 사설 인용. 치매의 효율적인 예방. 관리시스템 구축해야

엄기욱(2013). 치매노인을 위한 노인 장기요양기관 시설·인력·서비스기준에 관한 연구.
　　　보건복지부. 군산대학교 산학협력단.

엄기욱. 이경락. 김양이. 삿키노리코. 황재영(2013). 치매노인 대응형 장기요양시설의 서
　　　비스 전문성 강화 방안. 건강보장정책. 13(1).

오진주(2000). 간호제공자들의 치매노인 공격행동 경험에 대한 연구. 대한간호학회지.
　　　30(2). 293-306.

요양원 제도 개발의 과제와 전망. 한국노년학. 15(1).

유애정·이호용·김경아(2015). 장기요양기관의 케어 전문성 강화 방안 활성화 방안에 관한
　　　연구. 국민건강보험공단 건강보험정책연구원.

유애정(2013). 치매의 사회복지적 접근. 2013년 한국노년학회 추계학술 대회 자료집.

이해영(2014). 노인복지론. 창지사.

이인실외(2004). 치매 노인을 위한 운동프로그램이 보행능력에 미치는 영향. 대한물리치
　　　료 학회지 제 13권 3호.

이경주·이기령·양수·전원희(2008). 치매노인의 삶의 질과 관련요인. 정신간호학회지. 제
　　　17권 제3호.

전도근(2008). 우리 집 밥상에서 더할 음식 & 뺄 음식. 북포스.

전도근(2010). 스트레스 역설의 건강학. 책과 상상.

전도근(2011). 엄마표 아동비만 119. 책과 상상.

전도근(2018). 치매예방의 이론과 실제. 해피&북스..

조맹제외(1999). DSM-III-R 주요우울증에 대한 한국어판 Geriatric Depression
　　　Scale(GDS)의 진단적 타당성 연구. 신경정신의학 38.

조유향(2006). 치매노인케어론. 집문당.

중앙치매센터(2014). 2014년 치매상담매뉴얼 I, II, III.

중앙치매센터(2017). 치매오늘은.

한국산업안전보건공단(2011). 요양보호사 근골격계 질환 실태조사 및 예방매뉴얼 개발
　　　보고서.

통계청(2018). 2018년 치매유병율 조사.

통계청(2012). 장래인구추계.

치매를 알면 예방할 수 있다.

치매관리와 예방

초판1쇄 - 2019년 4월 15일
*

지은이 - 신 희 영
펴낸이 - 이 규 종
펴낸곳 - 예감출판사
*

주소-경기도 고양시 일산동구 공릉천로 175번길 93-86
전화-031)962-8008
팩시밀리-031)962-8889
홈페이지-www.elman.kr
전자우편-elman1985@hanmail.net

*
ISBN 979-11-89083-46-5

값 15,000원